# 過労死しない働き方

## ―働くリアルを考える

川人 博

新書 924

# はじめに――二つの世界

人は、二つの世界に生きていると思います。

一つは、日常の生活で直面している当面の課題に向けて取り組むことです。

もう一つは、日常の生活とは離れて人生全体のことがらに思考を巡らせることです。

読者のみなさん方は、日々、学校で勉強し、人によっては塾や予備校に通い、高校や大学受験のことを意識して生活しています。

また、運動部や文化部に所属し、スポーツや芸術の活動に取り組み、競技大会、発表会で良い結果を出そうと努力しています。放課後や休日にアルバイトをしている人もいるでしょう。

これらの日常のことがらは、それぞれとても大切なことだと思います。ただ、このような当面の課題に取り組むだけが人生ではないと思います。

一カ月先、一年先のことがらではなく、人生全体を通じて自分はどのような夢を持って生きていこうか、自分の中で大切にしようと思う価値は何だろうか、自分は地球に住み大自然とどのようにかかわりあっていくのか、など日常の試験や試合のことなどから離れて思考を巡らすことも、とても大切なことです。とくに、科学技術が発達し、インターネットが普及し、日常生活の中に大量の情報が入り、それに対する処理に多くの時間が割かれるような昨今においては、意識的に努力をしないと、このような人生全体を考える余裕がなくなり、当面のことだけで貴重な青春時代が終わってしまう危険すら生まれています。

過労死の問題を考えることは、いますでに長い時間アルバイトをしている人は別にして、大多数の生徒・学生のみなさんにとっては、自らの実感としてはわかりにくいことがらかもしれません。しかし、みなさんの生活を支えているお父さんやお母さんが仕事の疲れから体調を崩したことはありませんか？　なかには、過労から重い病気になったご家族がいるかもしれません。

また、病気にはなっていなくとも、親が遅くまで働いて、帰ってくる時間が遅く、家族が一緒に食事をする機会が持てないなど、親子の団らんの時間が少ない世帯があります。

いま、日本では「ワーク・ライフ・バランス」を重視しようと言われていますが、この言葉は、仕事と生活の調和を図ろうという意味です。長時間労働は、過労死まで至らなくとも、ワーク・ライフ・バランスを崩す大きな原因ともなっており、生活の質を向上させるうえでの障害となっています。

ですから、過労死や長時間労働について学ぶことは、健康に生きること、充実した人生を送るために、とても大切なテーマなのです。若いときから働くことの意味、労働と健康、労働と生活の関係などについて考えておくことは、きっと今後のみなさんの人生に役立つことだと確信します。

この本では、第1章で過労死の実態を示し、第2章で過労死や長時間労働をなくすための提言を行います。そして、第3章でワークルール(労働法)、とくに働く者の健康を守るための法律について説明し、学生アルバイトの留意点についても述べます。

この本が、読者のみなさんが健康で幸せな人生を送るための一助になればうれしく思います。

二〇二〇年五月

川人 博

# 目次

本文イラスト＝たむらかずみ

第1章

# 生きることと働くこと

## 1 過労死とは

過労死とは、仕事上の過労やストレスで病気になり、死亡することです。

英語ではDeath from overworkと訳されていますが、KAROSHIという言葉だけでも、その意味がほかの国々で通じるほど、世界的にも有名な問題となっています。

本来、人は、何のために働くのでしょうか。

人は、生きるために働き、幸せになるために働くのだと思います。

しかし、残念なことに日本では、働くことによって健康を損なって病気になり、いのちまで失ってしまう。これが現状です。

脳・心臓の病名としては、脳出血、脳梗塞《のうこうそく》、心筋梗塞《しんきんこうそく》、不整脈《ふせいみゃく》などがありますが、これらの病気が仕事による過労・ストレスから発生した場合に、過労死と呼ぶことにしています。ぜん息などの呼吸器系疾患《しっかん》も、過労・ストレスから引き起こされることがあります。

近年、とくに日本で広がっている病気として、うつ病などの精神疾患があります。これらの病気は、さまざまな環境から発生しますが、仕事による過労・ストレスが原因となることが相当多くあります。そして、重大なこととして、この病気によって自らいのちを絶ってしまう人びとが少なくありません。これは、過労自殺と呼ばれますが、過労死の一つです。

過労死は、年齢を問わず発生します。三〇代・四〇代の働き盛りの世代に多く発生しますが、最近は、二〇代の若者に犠牲者が広がっています。また、高齢者も働く時代になり、六〇代の高齢労働者にも過労死が発生しています。

性別も問いません。かつては、男性の過労死がほとんどでしたが、女性がフルタイムで働く時代になり、女性の過労死も後を絶ちません。

さまざまな業種・職種で発生しています。一部の業界だけではありません。営業・事務・販売・技術・運転など、どのような仕事の種類でも過労死の危険があります。新入社員から会社の社長まで、職場の中の地位・役職・経験年数にかかわらず、働き過ぎで健康を損なう人がいます。

このような日本は、「過労死社会」と言っても過言ではありません。

では、過労死は日本でどのくらい発生しているのでしょうか。

厚生労働省の発表によると、毎年、過労・ストレスによる死亡・疾病《しっぺい》に関して遺族や病気療養者が国に対し労災認定(労災保険給付)を請求している件数は、毎年、約二〇〇〇〜三〇〇〇件(うち死亡約五〇〇件)で、請求件数は年々増加傾向にあります。そのうち、国が労災と認定している件数は、毎年、約八〇〇件(うち死亡約二〇〇件)です。

したがって、国(厚生労働省)が公式に認めている過労死・過労疾病だけでも、二〇一〇年度から二〇一九年度にかけての一〇年間分の累積合計としては、死亡者約二〇〇〇人、病気療養者(死亡含め)約八〇〇〇人となります。しかし、この厚生労働省の統計数字は、国が遺族や労働者に労災保険金を支給している件数に限られています。遺族や病気療養者がさまざまな事情(会社からのプレッシャーなど)から請求をしていないことがあり、また、請求しても国が厳格な基準を設定しているため、認められないことも多くあります。したがって、国(厚生労働省)の公式統計は、過労死・過労疾病の氷山の一角を示すに過ぎません。

警察庁・内閣府の自殺統計によると、「「勤務問題」が原因・動機の自殺数」は、毎年二〇〇〇人にのぼります(図1)。この数字は、日本では一日に約五人が、仕事が原因・動機となって自殺していることを意味します。

実際には、原因・動機が不明とされている数も多いので、仕事に関連する自殺数は、年二〇〇〇人を上回ると思われます。

加えて、脳・心臓疾患、呼吸器疾患などの実態も考慮すると、一年間に発生してい

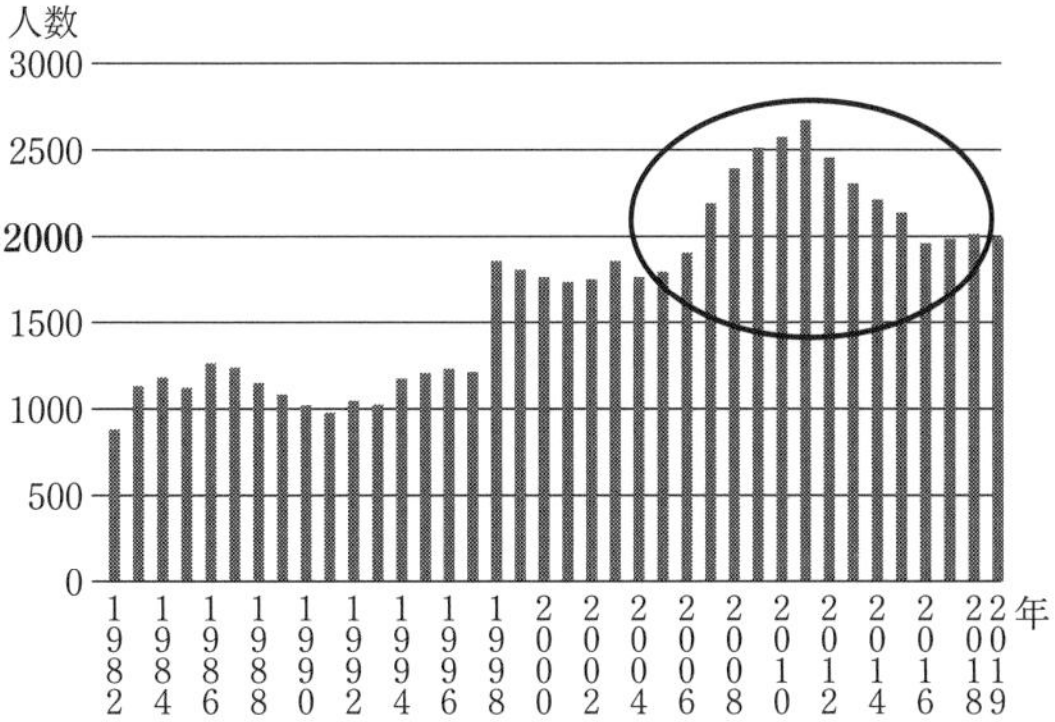


図１　「勤務問題」が原因・動機の自殺
（警察庁「自殺統計」より作成）

る過労死の数は、厚生労働省の二〇〇人という数値を大きく上回り、おそらく五〇〇〇人から一万人ほどと推定されます。

過労死の深刻な実態が続く中で、二〇一三年五月に国連の社会権規約委員会は日本政府に対して過労死をなくすよう異例の勧告を出しました。国内では過労死遺族が中心となって、過労死をなくすための法律の制定を求める運動が発展しました。こうした動きに応えて二〇一四年六月に過労死等防止対策推進法（過労死防止法）が国会で成立し、同年一一月に施行されることになりました。

この法律では、過労死防止のための啓発活

動、調査活動などを国の責任で行うことが定められており、毎年一一月を過労死等防止啓発月間として取り組むこととなっています。

また、各地の中学・高校・大学などに国が講師(弁護士や遺族)を派遣して、過労死問題の啓発授業を実施しています。

## 2　若者の過労死

先ほど、過労死は年齢・性別・業種・職種・社内地位を問わず発生していると述べました。では具体的に、どのような人びとが過労でいのちを失っているのでしょうか。まず、若者の過労死について事例を説明します。そのうえで、問題点や課題について言及していきたいと思います。

### なぜ退職の道を選ばなかったのか

**ケース①　広告代理店勤務　高橋まつりさん**

二〇一五年一二月　死亡(二四歳)
二〇一六年九月　三田労働基準監督署労災認定

高橋まつりさんは、一九九一年に広島県で生まれ、静岡県で育ちました。美しい富士山が真近に見える山麓の都市で元気にすくすくと育ちました。スポーツも勉強もよくでき、中学校からは、ＪＲ沼津駅近くの中学高校一貫校に進学しました。経済的には厳しい環境だったのですが、授業料免除の対象となり、六年間を過ごしました。

そして、地方の高校からはとくに難関といわれている東京大学に入学し、在学中には一年留年して北京に留学するなど、勉学に励み、また、ラクロス部ではトレーナーの活動も熱心に続けました。経済的に恵まれない子どもたちへの教育ボランティア活動にも参加しました。

メディアなどを進路として考えていたのですが、大手広告代理店電通に就職が内定し、二〇一五年四月からこの会社で新入社員として仕事を始めました。広告代理店というのは、さまざまなクライアント企業のCMをつくり、それをテレビやラジオやインターネットなどに流す仕事を主に行うところです。

高橋さんは、インターネット広告を担当する部門に配属になりました。インターネット広告部門では、仕事のルーティンは一週間単位となっており、広告デザインを考案・作成し、クライアント(広告企業)に提案し、承認を得てインターネットで流し、その効果(クリック回数など)を確認し、そこでの教訓を踏まえて広告デザインの修正などを行います。インターネットが日本社会に広がるにつれて、多くの広告代理店がこのような仕事を行っているので、同業他社との競争が厳しいのが特徴です。

高橋さんが属したデジタル・アカウント部では、たいへん仕事量が多く、他方で人手が不足していたため、一人で長い時間をかけて仕事をせざるを得ませんでした。とくに、一〇月一日からは、試用期間を終えて正社員となったため、残業時間が長くなり、夜の一二時を超えて仕事をすることが増えていました。休日も会社に出勤したり、借り上げ社宅で仕事をしていました。加えて、一〇月の半ばからは、担当するクライアントが増え、深夜一二時を過ぎても会社内に残って仕事を行い、真夜中にタクシーで社宅に戻り、朝には出勤するという過酷な労働となり、睡眠時間が一日二時間程度しかとれない日々が続きました。

さらに、一〇月二五日から二七日にかけては二日続きの徹夜作業となり、オフィスのソファでわずかに仮眠をとる程度でした。

彼女が亡くなった後、会社から取り寄せた資料を分析すると、一〇月二五日から一一月七日までの労働時間は、表1のような状況でした。

この結果、高橋さんは、一一月上旬には極度の過労と睡眠不足から心身の健康を損なうことになりました。当時のSNSの発信記録によれば、次のような履歴《りれき》が残っています。

「会社行きたくない」(一一月一日)

「生きるために働いているのか、働くために生きているのか分からなくなってか

表1　高橋まつりさんの勤務時間から見える労働実態

| | 始業〜終業 | 拘束時間 | 労働時間 | 総労働時間 |
|---|---|---|---|---|
| 11/ 7(土) | 18:53〜25:49 | 6:56 | 6:56 | ① |
| 11/ 6(金) | 9:22〜23:00 | 13:38 | 12:38 | |
| 11/ 5(木) | 9:30〜22:23 | 12:53 | 11:53 | |
| 11/ 4(水) | 9:13〜26:07 | 16:54 | 15:54 | 77:18 |
| 11/ 3(火) | 13:33〜25:21 | 11:48 | 11:48 | |
| 11/ 2(月) | 9:28〜23:42 | 14:14 | 13:14 | |
| 11/ 1(日) | 17:47〜22:42 | 4:55 | 4:55 | |
| 10/31(土) | 〜 | | | ② |
| 10/30(金) | 9:28〜23:26 | 13:58 | 12:58 | |
| 10/29(木) | 10:36〜21:18 | 10:42 | 9:42 | |
| 10/28(水) | 9:28〜23:16 | 13:48 | 12:48 | 87:26 |
| 10/27(火) | 15:01〜24:42 | 9:41 | 9:41 | |
| 10/26(月) | 6:05〜38:44 | 32:39 | 31:39 | |
| 10/25(日) | 19:27〜30:05 | 10:38 | 10:38 | |

らが人生。」(一一月三日)

「土日も出勤しなければならないことがまた決定し、本気で死んでしまいたい。」(一一月五日)

高橋さんは、一一月半ばには上司に対して業務量の軽減や部署替えを訴えました。しかし、一二月にはまた深夜勤務が続くことになりました。

「眠すぎて気持ち悪い」(一二

月九日）
「はたらきたくない。一日の睡眠時間二時間はレベル高すぎる」（一二月九日）
「死にたいと思いながらこんなにストレスフルな毎日を乗り越えた先に何が残るんだろうか。」（一二月一六日）（写真1）
と、高橋さんはSNSで発信していました。

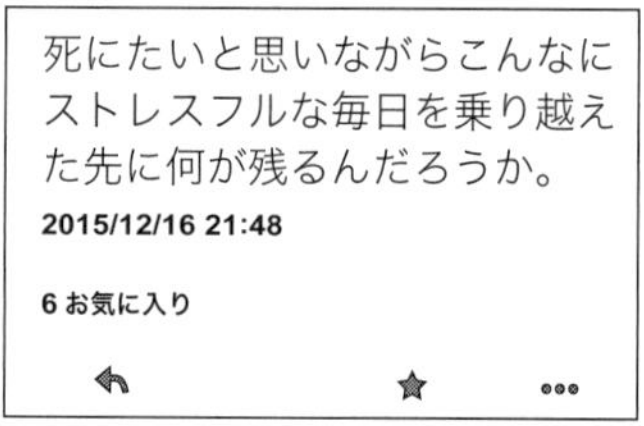
死にたいと思いながらこんなにストレスフルな毎日を乗り越えた先に何が残るんだろうか。
2015/12/16 21:48
6 お気に入り
写真１　高橋さんの携帯の画面からは，苦しむ様子がうかがわれた

高橋さんがツイッターに残した「つぶやき」によれば、上司は深夜労働で疲弊している彼女に対して励ますどころか、次のようなひどい暴言をあびせていました。

「君の残業時間の二〇時間は会社にとって無駄」

「会議中に眠そうな顔をするのは管理ができていない」

「髪ボサボサ、目が充血したまま出勤するな」

「今の業務量で辛いのはキャパがなさすぎる」

「女子力がない」

「男性上司から女子力がないだのなんだのと言われるの、笑いを取るためのいじりだとしても我慢の限界である。」


そしてついに、一二月二五日の朝、社宅から投身して亡くなりました。二四歳でした。

高橋さんは、いのちを失う前になぜ、会社を退職するという道を選ばなかったのか。そのような質問をよく受けます。

先ほど説明しましたように、彼女は、一一月上旬には極度の過労と睡眠不足から、心身の健康を損なうようになりました。当時、彼女には、抑うつ気分、気力の減退、疲労感、絶望感、自殺念慮《ねんりょ》などのうつ病の症状が出ており、彼女が亡くなった後に行われた精神科医の分析結果によれば、彼女は、一一月上旬ごろにはうつ病を発病していたと事後診断されています。

一般に、うつ病を発病すると、正常に物事を判断する能力が減退します。そのため、休職するか退職するかなどの理性的な選択をすることが困難になります。そして、たとえて言えば、風邪をひくと熱が出るように、うつ病になると、いまの苦しさから逃れるため死に対する衝動《しょうどう》が生まれます。

高橋さんは、うつ病に罹患《りかん》した結果、理性的な判断が著しく困難になっていたのです。国(三田労働基準監督署)も、精神科医の意見を聞き、同様に判断しています。

したがって、自殺を予防するためには、労働者がうつ病に罹患しないように会社が配慮することが最も大切なことであり、仮に、うつ病の症状(抑うつ気分・興味と喜びの喪失・気力の減退・焦燥感・自殺念慮・睡眠障害……）が出始めたら、会社側（上司や経営者）がただちに十分な休息を与え、また、職場環境の改善を図り、労働者が適切な医療行為を受けられる条件を整えることが必要です。

## 被害者なのに、なぜ遺書で謝るのか

ケース② 建設会社勤務 山川洋一さん（仮名）
二〇一七年三月 死亡（二三歳）
二〇一七年一〇月 新宿労働基準監督署労災認定

二〇二〇年の夏に東京オリンピック・パラリンピックが開かれる予定だった東京都においては、その競技場建設のために長時間労働に従事する労働者が多く、その結果、過労死に至る事態が発生しました。その後、新型コロナウイルスの感染拡大を受けてオリンピック・パラリンピックの開催延期が決定しました。

山川洋一さん(仮名)は、都内の中学・高校を卒業し、工学系の大学に進学しました。そして、二〇一六年三月に卒業し、同年四月から都内の建設会社に勤務し、さまざまな工事現場に出かけて働くことになりました。

同年の一二月中旬からは、JR千駄ヶ谷駅の近くにある新国立競技場建設の仕事に従事することになりました。新国立競技場は、二〇二〇年のオリンピック・パラリンピックメインスタジアムになるところでした。ところが、その設計をめぐって東京オリンピック委員会と設計士との間でトラブルが生じ、当初の設計案が破棄され、別の設計士による提案が採用され、それに基づき建設されることになりました。その結果、当初の予定から大幅に遅れて建設工事がスタートしました。

山川さんは、入社してまだ一年目でしたが、地盤改良工事の施工管理業務に従事し、朝早くから夜遅くまで現場作業を続けることになりました。そこは、クレーン車が何台もきて作業する大規模な工事現場でした(写真2)。

早朝五時ごろには自宅を出て、六時過ぎには現場で仕事を始めていました。日中は「芯出し」(機械の位置の調整)作業、各作業の写真撮影、材料品質管理などに従事し、夜には作業日誌の作成、出勤表の記入、マニフェスト(産業廃棄物管理表)の提出など、事務作業に従事しました。

写真２　山川さんが毎日通った現場
(撮影：川人博，2017 年 7 月)

仕事が終わるのが夜一一時ごろになることが多く、自宅に深夜一二時、一時に戻り、数時間寝た後、母親に起こしてもらい出勤するという日々でした(写真3)。携帯電話のメールには、そのときの記録が残っていました。

こうした中で、山川さんは極度に疲弊し、二〇一七年三月二日出勤せず失踪《しっそう》し、行方不明となりました。そして、四月半ばに長野県下で次のようなメモ書きとともにご遺体が発見されました。二三歳でした。

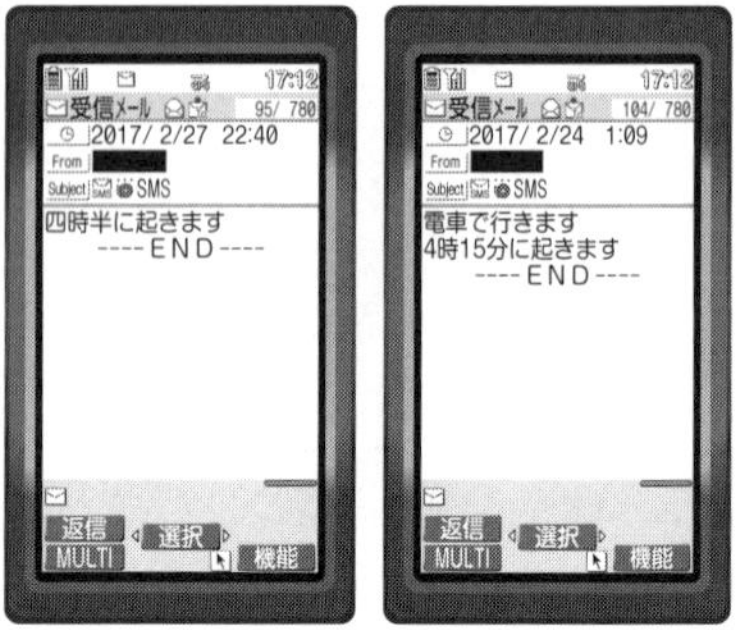

写真３　山川さんが母親に送っていたメール．深夜おそくに帰宅．しかしその数時間後には出勤の毎日だった

突然このような形をとってしまい　もうしわけございません。
身も心も限界な私はこのような結果しか思い浮かびませんでした。……
家族、友人、会社の方、本当にすみませんでした。
このような結果しか思い浮かばなかった私をどうかお許しください。
すみません。

彼が死亡した後の調査によって、上司からひどい暴言を受けていた可能性が高いことも判明しています。

山川さんの遺書には、「すみません」という言葉が繰り返し使われ、また、「お許しください」との言葉も出ています。

彼は被害者なのに、会社に対しても、なぜ、謝っているのでしょうか。

その最大の理由は、うつ病のような精神疾患に陥ってしまったためです。うつ病の症状として、「自責感」が挙げられます。これは、客観的に見ればその人に責任がないのに、過度に自分を責める感情が生まれることを指します。過労・ストレスによって自らいのちを絶った人の遺書を読むと、謝罪の言葉がよく出てきますが、その理由は、これらの人びとがうつ病などの精神疾患を発病していた結果と考えられます。山川さんも亡くなる前にうつ病に陥り、失踪し、亡くなったと推定されます。

オリンピック・パラリンピックが国家的な行事であるからといって、その競技場の建設に従事する労働者のいのちや健康が破壊されてもよいということは、あり得ません。このような公共性の高い仕事においても、働く人びとの健康を大切にした計画をしっかり立て、労働時間が長くならないように配慮しなければいけません。

## 「死ぬより辛い」のになぜ働き続けたのか

ケース③　IT業界勤務　西垣和哉さん
二〇〇六年一月　死亡(二七歳)
二〇一一年三月　東京地方裁判所労災認定

いま、日本のテレビのほとんどは、デジタル放送で行われています。太平洋戦争後、一九五〇年代はじめに日本でテレビ放送が開始され、その後、約半世紀にわたって、アナログで放送されていました。二一世紀に入ってから、いわば国家的事業としてアナログからデジタルへの移行が進められることとなり、この移行を担う技術部門の労働力が大量に求められました。

システムエンジニアであった西垣和哉さんは、あるテレビ局のデジタル化のための労働に従事していましたが、あまりの長時間労働の結果、うつ病を発病し、二〇〇六年一月、治療薬を過量服薬して亡くなりました。二七歳でした。

西垣さんは、専門学校を卒業後、川崎市にある株式会社富士通ソーシアルサイエンスラボラトリ（富士通SSL）に就職し、システムエンジニアとして働いていました。システムエンジニアとは、専門知識と技術を使ってコンピューターシステムをつくるための設計、テストを行う職種です。

二〇〇二年に入社した西垣さんは、翌二〇〇三年春から地上デジタル放送のシステム開発プロジェクトに配属されました。もともと人手不足でしたが、発注者であるテレビ局が厳しい納期を設定し、また、仕様変更を繰り返したため、長時間の労働が続き、徹夜作業もたびたびありました。

西垣さんは、二〇〇三年九月には一日約二一時間労働、翌日にかけて三三時間連続勤務という過酷な労働を強いられました。作業場には、仮眠施設がないばかりか、ソファすらありませんでした。このため、彼は、狭い自分の作業席でうつ伏せになって休むしか方法がありませんでした。

加えて、狭い空間に大人数で働いていたため、二酸化炭素量が法令の基準値を超えて充満し、劣悪で有害な作業環境でした。このため、西垣さんのほかにも多くの労働者たちが精神疾患を発病しました。

西垣さんは睡眠障害からうつ病を発病し、二〇〇三年一一月以降、休職と復職を繰り返す状況になり、ブログの中に「このまま生きていくのは死ぬより辛い」と書いていました。そして、二〇〇六年一月にいのちを失うことになってしまいました。

システム開発の世界では、深夜勤務など長時間労働が続くことが多く、このため「デスマーチ」＝「死の行進」という言葉がしばしば使われています。ＩＴ業界は、二一世紀の代表的な産業となっていますが、そこでの過酷な労働が人間のいのちと健康を奪っていることを忘れてはなりません。

## 周囲の人はなぜ助けなかったのか

ケース④　小学校新任教員　松本美恵さん（仮名）
二〇〇六年一二月　死亡（二五歳）
二〇一七年二月　東京高等裁判所公務上災害認定

松本美恵さん（仮名）は、福岡県に生まれ育ちました。教員になりたいという夢を実現するために、高校卒業後に入学した大学から別の教員養成で有名な大学に転入し、そこを卒業しました。

二〇〇六年四月に西東京市の公立小学校で新任教員として勤務を始めました。新任教員ですが、勤務開始と同時にクラス担任をすることとなり、生徒数三六名の二年生の学級担任となりました。担任の仕事以外にも、さまざまな教育指導の公務があり、また、新任ということで市教育委員会が行う研修にも参加しなければなりませんでした。

日本の小学校では、教員は、学科の教育と合わせて児童・生徒の生活指導にも力を注がなければなりません。松本さんのクラスでは五月に、ある児童が万引きしたとの疑惑が生じ、彼女はその児童の保護者に連絡したところ、その保護者からの強烈な抗議を受けて、対応に困り心理的なプレッシャーを受けました。そして、その抗議から数日後には、実際の万引き現場になった店から学校に連絡が入り、彼女は夜の一〇時ごろまでその店に残って対応しました。

後日、これらの万引き事件のクラス担当として、彼女は職員会議の場で謝罪をすることになりました。同じ五月ごろには、クラスの児童の上履《うわば》きが見えにくいところに隠されることがしばらく続き、学校中を探すことになりました。

六月ごろには、クラスの児童の体操着がトイレに隠されるという悪質なトラブルが発生し、校長の指示で体操着を洗濯して児童に返すことになりました。また、宿題プリントを捨ててしまう児童がいたり、給食費未納の家庭の分を松本さんが立替え払いをしたりするなど、松本さんの担任学級では、四月から六月ごろまでにトラブルが立て続けに発生し、かつ、トラブルの内容も悪質なものばかりでした。

松本さんは、初めての担任としてこのようなトラブル処理に苦慮しながらも、なんとか教員としての仕事を果たそうと、努力を続けました。そのため、必然的に持ち帰り残業が多くなっていきました。また、夜遅くに保護者から携帯電話に連絡が入ることもしばしばあり、対応に時間がとられることもありました。そうしたことなどから睡眠時間を十分確保することができませんでした。この結果、六月ごろにはうつ病を発病し、七月から心療内科を受診することになりました。七月一八日には学校に出勤しようとした際に、通勤途上でパニックをおこし、八月末まで病気療養を続けました。

本来であれば、療養に専念することが必要でしたが、学校の管理職からは特段の補充人員の配置が行われず、そのため、松本さんは九月の新しい学期からまた、クラス担任に復帰したものの、クラス内のトラブルが絶えず、ついに一〇月下旬に自殺を図り、一二月半ばに亡くなりました。二五歳でした。

松本さんが強いストレスを受け病気になり死亡した背景には、市の教育委員会の指導のあり方にも問題があったと言わざるを得ません。市教育委員会は、初任者研修の場で、新任教員が休まないようにと、「病欠・欠勤は給料泥棒《どろぼう》」「(初任の)一年間はいつでもクビにできる」などと、幹部が発言していました。初任の一年間は条件付き採用期間であるため、新任教員は体調が悪くても働かざるを得ないと考えてしまい、無理を重ねることになるのです。

また、校長など管理職の新任教員に対する指導が誤っており、かつ、健康に対する配慮が欠けていました。まだ二〇代半ばの若い新任の教員が、心ない保護者から不当なクレームを受けるようなことがあれば、校長など組織の責任者が毅然とした態度をそのような保護者に対してとらなければなりません。にもかかわらず松本さんの場合には、大声で怒鳴りたてる保護者に対し、校長の指示で彼女一人で電話対応をさせられ、たいへんな心理的苦痛を受けました。

さらに、学校教員の長時間労働、持ち帰り残業が当たり前のようになってしまっている日本の現状もこの事件の背景にあります。文部科学省が二〇一八年九月二七日に発表した「平成二八年度教員勤務実態調査集計(確定値)」によれば、学内で週六〇時間以上働いている教員の割合は、中学校で五七・七%、小学校で三三・四%にも達しています。近年になって、教員の長時間労働を改善するために、文部科学省も動き出していますが、長年にわたって定着してしまった状況を改善するのは容易ではありません。行政や学校関係者だけにまかせず、社会全体で教員の多忙を軽減する努力が求められています。

## 公共性の陰にあったサービス残業

ケース⑤　人工衛星管制業務　佐藤幸信さん
二〇一六年一〇月　死亡(三一歳)

## 二〇一九年四月　土浦労働基準監督署労災認定

人工衛星「いぶき」は、温室効果ガス（二酸化炭素やメタンなど）の濃度を宇宙から観測するもので、地球温暖化対策を定めた「京都議定書」（一九九七年ＣＯＰ３で採択）への貢献を目的としています。このプロジェクトは、ＪＡＸＡ（国立研究開発法人宇宙航空研究開発機構）と環境省が共同で行っている事業で、各国の政府機関や科学者らがその調査結果を利用しています。

このように「いぶき」は、公共性の極めて高い宇宙探査機ですが、その役割を全《まっと》うするために、地上から二四時間三六五日途切れることなく精密に制御する作業が求められています。

そのため、茨城県つくば市にある施設では、人工衛星の管制員が、「いぶき」が日本列島上空を飛行している間、あらかじめ作成・用意したコマンド（指令）を送って「いぶき」を制御しています。それ以外の時間帯は、「いぶき」の膨大な各パーツのデータの処理や評価を行っています。さらに、障害や緊急事態に常に備えています。「いぶき」の管制業務は、パイロットや航空管制の業務と同じく絶対にミスは許されないもので、常に緊張を強いられる職務です。

佐藤幸信さんは、この「いぶき」の管制業務などに従事していましたが、深夜勤務・不規則勤務などが続き、心身の健康を損ない、二〇一六年一〇月に三一歳の若さで亡くなりました。

彼は、九州の大学院を卒業後、東京都内の株式会社エスシーシー(SCC)に就職し、ソフトウェア開発やシステム設計の業務に従事していましたが、二〇一五年一〇月、宇宙技術開発株式会社(SED)筑波事業所に出向を命じられ、出向後、JAXA筑波宇宙センター内でSEDがJAXAから請け負った「いぶき」の管制業務に従事することになりました。このほかにも、人工衛星のスケジュール管理システムのソフトウェア開発の仕事も行っていました。

佐藤さんの母・佐藤久恵さんは、息子の死亡が業務からくる過労・ストレスによるものだと考え、土浦労働基準監督署に労災申請をしました。

遺族代理人の調査によれば、佐藤さんは、二〇一五年一一月から死亡するまで、午後五時二〇分から翌日の午前九時五〇分までを就業時間とする夜間勤務を含む、交替制勤務に従事していました。交替制勤務(夜間長時間勤務を含む)は、人間の本来持つ生理的な昼夜リズム(概日《がいじつ》リズム・サーカディアンリズム)の乱れを生み、労働者の慢性疲労や健康低下をもたらすおそれがあります。加えて、彼は、ソフトウェア開発の業務にも従事するようになったため、時間外労働時間がかなり増えました。しかし、上司は、残業申請を出すことに対し叱責《しっせき》しました。その結果、佐藤さんは、「サービス残業」を余儀なくされました。

土浦労働基準監督署は、二〇一九年四月、彼の死が業務に起因するものであると認め、労災と認定しました。同署の調査結果によれば、佐藤さんには、次のような業務による負荷がかかり、その結果、死亡一カ月前ごろに精神疾患(適応障害)を発病し、自殺に至ったと判断されました。

第一に、人工衛星「いぶき」の管制業務やその他のソフトウェア開発という二つの業務が重なったこと、第二に、上司との間で軋轢《あつれき》・トラブルがあったこと、第三に、仕事内容や仕事量が増加し、一カ月当たりの時間外労働が四五時間を超え、七〇時間以上に達したこと、の事実が重なり、これらを総合すると強度の心理的負荷となったと判断されました。

佐藤さんの母・久恵さんは、労災認定が出された後に、記者会見で、「過労死は、ただ真面目に仕事に向き合っている人、だれもが巻き込まれてしまう可能性のある理《り》不尽《ふじん》なできごとです。仕事のために命を失うなど決してあってはなりません」と話しました。

近年、注目を浴びている日本の宇宙空間でのさまざまな取り組みの陰で、人工衛星の管制に取り組む労働者の労働実態が過重なものとなっています。いかに公共性の高い仕事であっても、それを担う労働者が過労死で亡くなることはあってはなりません。

## 五人は、なぜ死ななくてはならなかったのか

以上、若い尊いいのちが奪われた事例を示してきました。五人の方々が亡くなった原因・背景として、それぞれに固有なこともありますが、共通することがらが多くあります。

まず、二〇〇〇年代以降に、心身とも健康だった若者が、仕事上の過労・ストレスにより急激に健康を損ない、死亡していることです。過労死が日本で大きな社会問題になり始めたのは、一九八八年のことですが、その当時は、若者の過労死については数少ない事例しかありませんでした。ところが、二一世紀に入り、二〇代の若者の過労死事例が社会に表面化することが多くなり、現在も同じ傾向が続いています。

その要因として、一九九〇年代初頭のバブル経済崩壊後、職場で中高年労働者の人員削減が進み、若年労働者(新人を含む)が就職直後から過大な業務量を割り当てられ、

長時間労働に陥っていることが挙げられます。

加えて、少子高齢化社会により、とくに二〇一〇年前後以降、若い労働力が不足し、若年労働者に過度な負担がかかるようになっています。

したがって、若者の過労死を防ぐためには、少子高齢化社会の中で若い働き手の確保をどうするかについて根本から見直すことが求められています。

次に、日本の職場において、若者をサポートする力、困ったときに相談にのり支援する力が弱まっていることが挙げられます。

多くの職場において、新人社員が会社に入っても、彼らを管理職や先輩たちが育てていくという観点が薄らぎ、むしろ逆に、管理職や先輩が自分たちのストレスを新人や若者に発散させ、ハラスメントを繰り返すような否定的な現象が生まれています。

そして、本来であれば、新人を含めて働く者の悩みを解決する組織である労働組合の数が減り、または、労働組合があってもその活動力が低下しています。このため、職場の中で苦境に陥る若者がいても、彼ら彼女らをサポートする組織や場がほとんどなくなってきています。

たしかに、親は息子、娘のことを案じているのですが、職場の中で発生していることを職場外にいる家族が解決していくことは、著しく困難です。

ですから、若者の過労死をなくしていくためには、職場の中でどのように若者を育て、サポートし、支援していくかを、いまこそ真剣に会社が考えていかなければなりません。

加えて言えば、若者が就職する前に、あらかじめ職場の良いところも悪いところも可能な限り情報を収集し、就職先を選択することが大切です。企業は、採用募集にあたって、自らのマイナス評価を招くような広報をしません。

また、大企業になれば、日常的に多くのテレビCM、インターネットCMなどを使って、プラスイメージを社会に浸透させる努力をしています。このために、どうしても若者側では、企業の実態について楽観視する傾向が生まれがちです。就職先を選ぶにあたって、過不足ない情報を得て、働き始めることがたいへん重要なのです。そして、会社の中で理不尽なことが行われる場合に備えて、学生時代からワークルールを学び、自分を守る知識を身に着けることが大切です(第3章参照)。

# 3　中高年の過労死

これまで若者の過労死について見てきましたが、ここからは四〇代以上の中高年の人びとの過労死の事例を説明します。2と同じように、そのうえで、問題点や課題について言及していきたいと思います。

## 労務管理がずさんな会社で

ケース⑥　大手学習塾正社員　高村透さん（仮名）
二〇一七年一一月　死亡（四九歳）

## 二〇一八年一一月　渋谷労働基準監督署労災認定

少子化の中で学習塾の業界では、生徒を確保し進学実績を上げるため、各塾とも以前にも増して営業努力を続けています。高村透さん(仮名)は、大学を卒業後、別の会社での勤務を経て大手学習塾に就職しました。この塾では集団指導を行う部門と、個別指導を行う部門に分かれていましたが、高村さんは、就職後、一貫して個別指導の部門を担当し、各教室の教室長を務めていました。

具体的な仕事としては、教室運営業務、時間割の編成、アルバイト講師の育成、学習指導、生徒募集、企画運営など多くの業務を遂行していました。勤務を始めてから一二年を経過した二〇一七年一一月に、社内で研修中に倒れ、病院に緊急搬送されましたが、そのまま死亡しました。病名は急性大動脈解離《だいどうみゃくかいり》による心停止であり、文字通り循環器系の突然死でした。当時四九歳でした。

高村さんは、亡くなった当時、約一八〇名の生徒(小学生から高校生まで)が在籍する都内の個別指導教室の教室長でしたが、この教室に在籍する正社員は、彼のほかには部下の女性が一名のみでした。二人の正社員のほかに、大学生アルバイト約三〇名が個別指導を担当していましたが、保護者からの問い合わせや苦情、定期的な面談など、正社員が対応をしなければならない仕事が大量にあり、重い責任を負っていました。

加えて、高村さんは、全社的なプロジェクトにも参加していました。さらに課長への昇進のための社内研修を受けており、時間的にたいへんきつい日々が続いていました。彼が死亡した後に、遺族の代理人弁護士が、彼の労働に関するさまざまな履歴を調査しました。それによると、彼が自己申告で会社に報告していた出社時刻・退社時刻は、実際の時間を正確に反映していませんでした。彼の使用していたパソコンのログイン・ログアウトの時刻を示した資料、彼と妻とのＬＩＮＥでのメッセージのやりとりなどを詳細に分析したところ、彼は、倒れる前の一カ月だけで約一三一時間の時間外労働(平日の残業及び休日労働)に従事していました。

少子化を背景に、学習塾業界では個別指導の形態が増えていますが、この場合、多数の教室を開設し、ごく少数の正社員が全般的な責任を負っているのが実情です。この結果、高村さんに限らず、正社員の長時間労働が日常化しているにもかかわらず、会社が十分な休息・休日をとれるよう労務管理をしていないため、過重労働に陥り、死亡にまで至るケースが発生しているのです。

彼の妻は、次のように社会に対するメッセージを出しました。

「子供たちの学習支援を行っている企業で、このような痛ましい過労死が起きたことを非常に残念に思っております。夫は、子どものため、会社のためにと、寝る間を惜しんで働いておりましたが、会社側が正確な勤務実態を把握できない状況であったことに驚愕《きょうがく》いたしました。

勤務時間の自己申告制をはじめとし、自己責任論を盾《たて》に、労働者にすべてを委ねるような業務運営は、会社側の怠慢としか言いようがありません。会社が人員体制をもっと充実させてくれていれば、夫もここまで働き過ぎにはならなかった、命を失うことはなかったと思います。二度と同じことを繰り返さないためにも、早急な対策を願っております。

私たちは往々にして、懸命に働くことを美徳としてしまいがちです。「適度に適当」の精神で、私たち遺族と同じ思いをする人が減ることを望んでいます。」

## 便利さの陰で

ケース⑦　大型車両運転手　長田明さん(仮名)
二〇一七年一月　死亡(四三歳)
二〇一七年八月　長野労働基準監督署労災認定

いまの日本社会においてコンビニエンスストア(以下、コンビニ)は、市民の生活に密着した欠かせない存在となっています。コンビニに行けば、日常用品から食品まで当面の生活に必要なものはほとんど入手できるようになっています。このような多様で新鮮な品物をコンビニに置くことができるのは、深夜を含め、運転手が商品を配達しているからです。とはいえ、人手不足で運転手の数も限られており、商品の積み込み、運搬、納品を担う運転手の仕事はたいへん過酷なものになっています。

写真4　長田さんが倒れたコンビニの駐車場(撮影：川人博，2017年8月)

長田明さん(仮名)は、長野市に母親と同居し、地元の運送会社に勤務していましたが、二〇一七年一月、配送先だった上田市内のコンビニ前の駐車場(写真4)で倒れ、救急病院に運ばれましたが、亡くなりました。当時、四三歳でした。

長田さんは、毎日午前中に自宅を出て、長野市内にある運送会社と配送センターに行き、そこでコンビニに運ぶ商品を大量に積み込み、上田市内の各店舗に配送していました。上田市内の各コンビニを順次回り終えると、長野市に戻り、その後また商品を積み込み、二回目の配送を上田市内の店舗に行い、夜、長野市に戻ったのちに、深夜に帰宅する日々を繰り返していたのです。

昼食をとる時間がないほど忙しいため、毎日、母親が作ってくれたおにぎりを運転しながら食べるという状況でした。母親が、おかずを作って渡そうとすると、彼は、運転しながらでは食べられないからと言って、おにぎりだけを持って出かけていました。睡眠時間も満足にとれず、疲労が蓄積し、この運送会社に勤務するようになってから半年でおよそ七キロも体重が減り、母親も心配をしていました。

二〇一七年一月六日に、長田さんは、上田市内のコンビニ店に品物を納入した後、車に戻ろうとしたところ、その場で突然倒れてしまい、気がついた人が一一九番に通報してくれましたが、そのまま病院で亡くなりました。病名は急性大動脈解離でした。

日本のさまざまな業界の中でも運送業界は、とくに長時間労働や深夜労働が多く、運転手も健康が損なわれ、いのちまで失うケースが続いています。運転手が運転中に体調を崩した結果、重大な交通事故が発生することも度々起こっています。自動車は、近代文明の申し子であり、市民の生活を便利にしてくれていますが、その便利さを実現するために、働く者のいのちと健康が奪われてはなりません。

## 大手といえども

ケース⑧　大手旅行代理店営業社員　松田信夫さん(仮名)
二〇一一年三月　死亡(四〇歳)
二〇一二年一〇月　新宿労働基準監督署労災認定

中学生・高校生にとって修学旅行や海外研修は、人生の中でも生涯忘れ得ぬ記憶として残る楽しい行事です。この旅行の実施にあたっては、担当の教職員だけでなく、企画・協力する旅行会社の存在が欠かせません。松田信夫さん(仮名)は、一九九四年、大手旅行代理店に入社し、その後、一貫して主に団体旅行の営業業務に従事してきました。とくに学校関係の旅行を多く担当してきました。

二〇一〇年一〇月ごろに、松田さんの部下が急に退職することとなったため、部下の担当業務の約半分を引き継ぐこととなり、もともと自分が持っていた顧客の業務に加えて、仕事がプラスされ、仕事量が急激に増加しました。

二〇一一年二月には、松田さんは課長に昇進し、それまでの担当業務に加えて、部下(課員)のマネジメント業務もしなければならなくなり、忙しさに拍車がかかりました。

課長昇進後の二〇一一年二月二二日、ニュージーランドで大地震が発生しました。彼は当時、ある女子高校のニュージーランド・ホームステイ旅行を担当していたのですが、このホームステイ旅行では、参加する生徒を複数のグループに分けてニュージーランド国内の三都市へそれぞれ派遣する予定でした。その都市の一つがクライストチャーチという都市で、大地震の被害がたいへん大きかった場所でした。クライストチャーチ以外の二都市へのグループは、当初の予定どおり同年二月二五日に出発しましたが、クライストチャーチへ行く予定だったグループは、約二週間後に目的地を変更して出発することになりました。

この結果、二週間という短期間のうちに、出発を遅らせたグループの目的地の選定から生徒とホストファミリーのマッチングまで一から組み立てをする必要がありました。個人旅行でさえ顧客からの変更やキャンセルを出発の一カ月前としているのですから、ホームステイ旅行のように企画が複雑で手配業務が多岐にわたる団体旅行を二週間で組み立て直すというのは、たいへん無理のある仕事でした。しかし、その女子高校は、会社にとって重要な顧客であり、また、松田さんは、この学校を長年担当し、深い付き合いでしたので、かなり困難な要望が出たとしてもそれを断りきれない関係にありました。結局、残業や休日出勤を繰り返し、業務を遂行しました。

松田さんは、課長昇進直後の二月一八日に妻に対して「めちゃくちゃ、忙しいときに連絡来たよ」とこぼし、仕事のことで気分が落ち込んでいました。二月二二日のニュージーランド大地震が発生した後は、職場でほとんど話さず、黙々と仕事をしていましたが、三月四日には、妻に「もう　だめ　ほとほと疲れた」とのメールを送り、三月五日には妻に対し、「こんな生活でごめんな」としきりに謝って涙ぐんでいました。そして、三月六日に突然失踪し、三月一一日に埼玉県の墓地内で亡くなっているのが発見されました。

二〇一一年二月一日から三月六日に失踪するまでの間、彼は、一日だけ休めたに過ぎず、連日深夜まで働き、徹夜勤務かつ徹夜後にそのまま勤務することが続いていました。彼の睡眠時間は、深夜近くまで働いて終電で帰宅する際は長くても四、五時間程度、徹夜勤務の際は長くても一時間程度でした。また、徹夜後に翌日も連続して勤務する際は、睡眠時間がゼロでした。

松田さんの妻は、彼の死が業務上の過労・ストレスが原因であると労働基準監督署が認定した後、次のようなメッセージを出しました。

私は、旅行会社ＪＴＢ法人東京の営業課長でありました夫を約二年前の三月に過労自殺で亡くしました。

夫は、徹夜・終電続きで働きづめの毎日でした。私が心配をしても、「あと三か月頑張れば落ち着くから。」と言うだけでした。ある日失踪した夫は、私の父の墓地で自殺しているのを発見され、私は半身をもがれるような思いで身元確認に行きました。

突然に大切な家族を奪われた私は喪失感いっぱいの中、どうしたら良いのかもわからないまま川人弁護士を訪ねました。そして、もう触れたくない事柄をひっくり返しながら必死で情報収集をし、労災申請から半年後、労基署に過労死と認定されました。

夫が亡くなった当初、私は精神的にくたびれ果てて何もできない状況でしたが、やはり大きな社会問題になっている過労死を生じさせた企業には猛省を促すべきだと考えるようになりました。「名ばかり管理職」を増やし、彼らの過酷な労働実態を放置する企業が「大学生の就職したい企業」ということでは困ります。

事業主の責務を明らかにし、過労自殺の防止策を講じる必要性を社会の方々にも知っていただきたいと思っています。

## 華やかさの陰で

ケース⑨　厨房機器メーカー勤務　田口正俊さん
二〇一六年五月　死亡(五二歳)
二〇一九年三月　渋谷労働基準監督署労災認定

二〇二〇年のオリンピック・パラリンピックの開催が決定して以降、東京都心では、ホテル・ショッピングセンター・娯楽施設の新築・増改築が相次ぎ計画され、多くの大規模な建設工事が行われることとなりました。

その一つとして、旧赤坂プリンスホテルの跡地には、東京ガーデンテラス紀尾井町（複合施設）が建設され、その中に新赤坂プリンスホテルも入ることになりました。田口正俊さんは、この新しいホテルの厨房《ちゅうぼう》施設づくりの現場責任者として業務にあたることになりました。この工事の元請業者は大手ゼネコンである鹿島建設でしたが、田口さんの勤務するタニコー株式会社（厨房機器メーカー）が、その下請として厨房設備設置工事を担当する請負構造となっていました。

田口さんは、以前から、飲食店などの厨房設備設置工事の監督業務や保守管理業務に従事していたのですが、二〇一六年の二月ごろから、このホテルの厨房設備の設置業務を単独で任されることになり、作業監督・作業状況進捗《しんちょく》管理・元請との調整などを行っていました。また、監督業務の前後に、世田谷の営業所に出勤して多くの事務作業も行うなど、多忙を極めました。

田口さんは、釣りが趣味でしたが、あまりに忙しくて釣りもできなくなり、疲労困《ひろうこん》憊《ぱい》の末、自宅近くで同年の五月二日に死亡しているのが発見されました（警察等の調査分析の結果、同日午前五時ごろに死亡と推定)。

田口さんの親族は、彼の死亡原因が仕事上の過労・ストレスが原因ではないかと考え、その疑問を勤務先会社に話しましたが、否定されました。その後一年以上経過したころ、私(筆者)の活動がNHK番組「プロフェッショナル　仕事の流儀」(二〇一七年一一月放送)で取り上げられ、たまたまご覧になった田口さんのご兄弟が、相談にかけつけました。そして、私を含む弁護士が遺族代理人として調査に着手し、田口さんが死亡する前の業務状況を毎日克明に記した日報が存在することが確認されました。その日報によれば、月一〇〇時間を超える時間外労働の存在、元請からの理不尽なプレッシャー・叱責の事実などが示されていました。

そこで、田口さんの親族は、代理人を通じて、渋谷労働基準監督署に労災申請の手続きをとり、二〇一九年三月に、同署が彼の死亡は業務上の原因によるものであると判断しました。

同署は、田口さんは、二〇一六年の三月ごろから労働時間が急激に増加したこと、そして、四月ごろには作業の遅れが報告されていたことなどから、業務負担がたいへん重いものであり、これらが原因となってうつ病を発病し、死亡に至ったと説明しました。発病前一カ月の時間外労働は、約九八時間、約一〇八時間と続いていたと認定されました。

二〇一九年四月から「働き方改革」関連法が施行され、時間外労働に対する規制の強化が図られようとしていますが、建設業界は、この適用を五年間も猶予《ゆうよ》される扱いとなり、労働者の長時間労働が改善されていません。

東京五輪を大きなビジネスチャンスとして観光客誘致のためのインフラ整備が進む東京。労働力不足から若手・中高年を問わず建設関連労働者の過重労働が、ほとんど改善されていません。

都心の華やかな施設がにぎわう陰で、働く者のいのちと健康が損なわれています。

観光立国を目指す国策(観光立国推進基本法など)の結果として、労働者が過労死することはあってはなりません。

## 超高齢社会到来の陰で

ケース⑩　学校の警備員　渡辺治さん
二〇一八年四月　死亡（六八歳）
二〇一八年一二月　渋谷労働基準監督署労災認定

ひと昔前には、六〇歳を過ぎると仕事から解放され年金で生活する人びとが多かったのですが、高齢・少子化社会の到来により年金額が少なくなり、年金の支給開始も徐々に遅くなってきて、六五歳を超えてもまだフルタイムで働かざるを得ない人びとが増えてきています。少子化の影響で労働力が不足し、高齢者にも肉体的にハードな仕事が回ってきます。とくに警備業界では、高齢労働者が多く働いていますが、深夜勤務などを伴う負担の大きい仕事に従事し、病気になり死亡する事例が後を絶ちません。

渡辺治さんは六八歳でしたが、警備会社でフルタイムの労働者として働き続け、約四年間都内の私立高校で警備業務に従事していました。その業務内容は、学校内の一日四回の巡回、火災報知設備の点検、エアコン解除、門扉等の施錠・解錠、教職員入室のための教員室・事務室等の鍵の準備、正門の開門、電話応対、留守番電話設定・解除、来校者対応、清掃業者・部活動生徒等との鍵の授受、宅配荷物の受け取り、宿直日誌の作成、事務長への異常報告、国旗・校旗の掲揚・降旗等でした。さらに、早朝の時間帯でまだ学校教員が来ていないときに保護者から入る電話(生徒の欠席や遅刻など)に対して渡辺さんが応対し、その伝言内容を学校職員に伝えることまで行っていました。また、部活などで教員の退勤が遅くなると、その影響で渡辺さんの労働時間が増えたりしました。

彼は、三つの勤務形態を交代でこなしていました。すなわち①一六時三〇分~翌八時三〇分(平日夜勤)、②一三時三〇分~翌八時三〇分(土曜夜勤)、③八時三〇分~翌八時三〇分(日曜・祭日夜勤)の勤務時間となっていました。夜勤の際は、マニュアル上は〇時から五時までは仮眠時間とされていましたが、実際には、〇時三〇分ごろまで仕事が続いていました。朝は、野菜などの納品業者が学校に来る時刻に合わせ、四時ごろには起床しなければなりません。仮眠時間も日中の休憩時間も学校外に出ることは禁止されており、精神的にリラックスすることはできませんでした。

渡辺さんが勤務していた学校現場では、もともとは彼を含め三名の警備員が交替で勤務していたのですが、そのうち一人が二〇一七年九月から病気で休職となり、人員補充もされなかったので、二人で仕事をやらざるを得なくなりました。

その結果、渡辺さんは、二〇一八年一月一五日から二月六日までは二三日連続勤務となり、加えて、校舎建て替え工事の影響でとても寒い仮設建物の中で宿直せざるを得ませんでした。二〇一八年二月七日午前二時二〇分ごろ、守衛室で勤務中、息苦しくなり、自ら自宅に電話して「息が苦しい、話せないから救急車を呼んでほしい」と家族に伝えました。その後、家族からの連絡で救急車が学校に行き、彼は病院に緊急搬送されましたが、意識不明の状態が約二カ月続いた後、四月二日に亡くなりました。病名は、急性心筋梗塞でした。

二〇一八年における六五歳以上の高齢者の労働力人口に占める割合は一二・九%で、その後も年々上昇を続けており、渡辺さんと同様、過酷な労働環境下で業務に従事している高齢者は、ほかにも多数存在します。年齢にかかわらず労働者の健康に配慮しなければならないことは当然ですが、とくに高齢者に過重な業務を課すことのないように労務管理を速やかに是正しなければなりません。

## 五人は、なぜ死ななくてはならなかったのか

以上、中高年労働者のいのちが奪われた事例を示してきました。

いわゆる働き盛りの世代であり、会社にとっても社会にとっても重要な役割を果たしてきた方々です。また、彼らの多くは、結婚して家庭を築き、家族の生活を支えて

きました。

なぜ、彼らが過労死に至ったのか？

その原因としては、若者と同じような過重労働の実態がありますが、同時に若者にはない固有の事情も存在しています。

すなわち高橋まつりさんの過労死が公になって以降、ここ数年間、各企業においては新人や若者の長時間労働を削減する動きが、ある程度進められてきましたが、その代償として、課長・マネージャーなどと呼ばれる管理職が従来の若者の労働分まで働かざるを得ないという傾向が生まれています。

本来であれば、会社全体の業務量を削減し、人員を増やすべきところなのに、中間管理職へ過度の負担をかけることによって若者の過重労働問題を「解決」しようとしているのです。

また、現在の三〇代・四〇代の労働者は、一九九〇年代半ばから二〇〇〇年代に就職をしましたが、正社員が減り、非正規雇用が激増した世代です。したがって、正社員として働いている同世代が少なく、いわゆる中堅層が薄いために、一人ひとりの労働量が以前にも増して多くなる傾向があります。正社員でなくいわゆる契約社員等の非正規雇用形態の労働者でも長時間労働により、過労死に至る例があります。

加えて、精神的な要素も無視できません。バブル経済期とは対照的に、仕事の業績を上げることが困難な経済情勢にあり、自らの雇用も失いかねない状況が続き、強いストレスにさらされ続けているのが、いまの中高年労働者の状況です。

しかも前述したように、六〇歳を超えても生活のために働かざるを得ない人びとが年々増加し、建設業界・運送業界・警備業界など、肉体的負担が大きい職場において働かなくてはならないケースも増えています。そのため健康を害し、いのちまで失う悲しい実態が生まれているのです。

中高年労働者の過労死をなくすためには、雇用形態の見直しにより正社員を増やすこと、高齢になった場合、負荷の強い仕事は避けることなど、総合的な労働政策の改善が求められています。

第**2**章

# 健康な社会をつくるために

# 1　いのちと健康を第一とする価値観を

## 女工たちの悲哀

過労死という言葉は、一九八〇年代後半から日本社会に広がり、定着していきましたが、戦前の日本においても、すでに過労死というべき実態が発生していました（拙著『過労自殺　第二版』岩波新書、第二章）。

日本は、一九世紀後半に欧米列強の圧力を受け鎖国を解き、明治維新を行い、富国強兵・殖産興業のかけ声の下で、国主導の産業革命を推し進めました。戦前の代表的な輸出産業は製糸業であり、富岡(群馬県)に続いて諏訪《すわ》や岡谷《おかや》(長野県)などには各地から多くの女性が集められ、製糸工場で働きました。

しかしながら、彼女たちは一日一四時間前後の労働を課せられ、不衛生な労働環境、貧弱な寮設備も影響して、多くの女性労働者が健康を害し、いのちを奪われました。『女工哀史』(細井和喜蔵、岩波文庫、一九五四年)や映画『あゝ野麦峠』(山本薩夫監督、一九七九年)に当時の様子が描かれています。

また「ある湖の物語」と題したNHKドキュメント(一九六九年一一月放送)は、長野県の諏訪湖に近い岡谷製糸工場で働く女性が湖や中央線に投身自殺した事実を克明に報道しました。昭和二年(一九二七年)には、約半年間に五〇名近い女性労働者が投身して亡くなったと地元紙は報じていました。

このような悲惨な実態を目の当たりにして、工女救済の活動をすすめようと、ボランティア団体ができました。諏訪湖の湖畔には、「一寸お待ち思案に餘らば母之家」(ちょっとお待ち、思案に余らば母の家)という立札(写真5)が立てられ、慈善団体

「母の家」の人びとが巡回をして自殺防止に取り組みました。この団体は、高浜竹世氏らが中心となり、当時の有識者、たとえば、市川房枝氏(女性の権利運動家、戦後国会議員)、吉野作造氏(東大教授、民本主義を提唱)らが支援していました。このように、明治維新以降の富国強兵・殖産興業のスローガンの下で、輸出産業として製糸業が発達しましたが、その陰で「女工哀史」と呼ばれる若い女性労働者のいのちと健康が犠牲になったのです。

写真5 「母の家」が諏訪湖畔に建てた標柱(『「母の家」の記録』より．神津良子，郷土出版社)(協力：(公財)市川房枝記念会女性と政治センター)

戦後の新憲法の下で、一九四七年、労働基準法が制定され、一日八時間労働の原則となりました。しかし実際は、戦後も長時間労働が減ることなく、むしろ各職場に拡大しました。バブル経済期(一九八六〜九一年ごろ)までに、長時間労働がほとんどの業界や職種に広がり、一九八〇年代後半から過労死が多発するようになりました。また、一九九〇年代前半にバブル経済が崩壊し、日本は長期にわたる不況に陥り、雇用不安によるストレスが職場に広がり、一九九〇年代後半から、働く者の精神疾患《しっかん》・自殺が激増しました。

以上のように、過労死は日本の近代の歴史に深く根ざしています。そのため、過労死をなくし、長時間労働を改善していくことは、容易なことではありません。改善を実現するためには、経済発展・経済成長のために労働者のいのちと健康が犠牲になってはならないという理念が、日本社会にしっかりと確立しなければなりません。

戦後、日本の多くの小学校で歌われてきた「森の水車」(清水みのる作詞・米山正夫作曲)という唱歌があります。

その歌詞を見ると、二番では、「雨の降る日も風の夜も　森の水車は休みなく」に続き、「仕事にはげみましょう」と繰り返します。

そして、三番では、「もしもあなたが　怠けたり　遊んでいたくなった時　森の水

車の　歌声を　独り静かに　お聞きなさい」と歌い、「仕事にはげみましょう」と繰り返します。

この曲は、太平洋戦争初期のころにつくられたものですが、いまでも歌われていま す。遊ぶことを悪とし、休みなく働くことを善とする思想は、戦後日本社会に深く浸透し、二一世紀の現在においてもなお、その思想は残っています。

## 二四時間戦う人

日本がバブル経済の絶頂期にあった一九九〇年前後、ある飲料メーカーは、「二四時間戦えますか」とのキャッチフレーズで、元気の出る飲料を広告宣伝し、このCMは、「企業戦士ニッポン」の代名詞として世界各国にも伝えられました。

また、二〇一一年ごろの真冬に、ある風邪薬のテレビCMが流されました。その中では、喉が痛い、熱があるとの症状が出ているときに、「会社、休めないんでしょ」

と語りかけ、薬の使用を勧めていました。

本来であれば、そのような症状があれば休暇をとって病院やクリニックに行き、医師の診断を受け、病気の内容を特定して必要な治療や静養を行うべきところです。

とくに、日本では真冬にインフルエンザが毎年のように流行するのですから、単なる普通の風邪と思っても、実際にはインフルエンザに感染していたということも多々あります。そうすると、その患者だけでなく、出勤した職場にも多大な悪影響を与えてしまうことになります。市販の風邪薬の効用を否定するものではありませんが、病気になっても会社を休まず出勤するという風潮は、なくしていかなければなりません。

二〇二〇年に感染拡大した新型コロナウイルスのことを考えれば、発熱時の診療は不可欠とも言えます。

その意味で、こうしたCMの内容についても必要な配慮が求められています。この会社のCMだけでなく、ほかにも「風邪でも、絶対に休めない　あなたへ」と題した、風邪薬のCMも出ています。

日本社会全体が、働く者のいのちと健康を根源的な価値として認め、この理念を大前提にして、国や企業の政策・運営が行われるような社会にしていくことが必要です。

# 2 業務量を調整し、必要な人員配置を行う

## 過労死をなくすには

過労死・長時間労働をなくすためには、働く人に課せられる業務量を適正なものにしなくてはなりません。ほとんどの過労死の事例では、あまりにも多くの業務量が課せられ、その業務を遂行するために残業や休日出勤が繰り返されています。そして、過労死の実態を三〇年以上調査してきた経験から言えることは、職場全体が忙しいということに加えて、過労死が発生する職場・部署には、さらに特別の事情が存在します。

具体的には、新規開発部門、業績が困難になっている部門、とくに繁忙になっている部門などにおいて、過労死が発生することが多いということです。会社の役員や幹部は、とりわけこうした部署について特段の配慮を行う必要があります。

私は、大手商社の旧ソ連(ロシア)担当課長が過労死した事件(一九九〇年七月、石井淳さんが急性心筋梗塞《しんきんこうそく》で亡くなり、後に中央労働基準監督署が労災認定)を担当したことがあります。彼が亡くなったのは、ペレストロイカ(旧ソ連の改革路線、欧米日との交流が拡大)が始まった時期でした。

総合商社の場合、商社マンは普段から海外出張があり、時差の関係で日本での深夜労働が多く、健康を損なう危険性がありますが、この日常の労働に加えて、何らかの世界情勢の変化により、とりわけ集中的に仕事が多くなる部署が生まれます。石井さんの場合、ペレストロイカの進行に伴う業務拡大に見合うだけの会社の人員補充が行われず、従来の限られた人員の中で対処をしなければならなかったのです。そのため、彼は力尽きて、ついに過労の末、亡くなりました。

石井さんは働き盛りの世代で、健康で丈夫な方でしたが、ペレストロイカが始まってからモスクワ出張を繰り返すことになり、死亡前一〇カ月間に計一〇三日の海外出張を行っていました。

一九九〇年七月、愛知県周辺でロシアから日本に来る顧客と訪問先機械メーカー間の通訳や、ロシア人顧客の接待業務を行いました。約一週間の日程を終えた後に、訪日したロシア人数名が、モスクワ周辺に住んでいて海を見る機会がないこともあって、日本の海を見たいと、強い希望を述べたので、石井さんは、暑い中、三重県の海水浴場へ彼らを連れていって接待しました。そして、その日の深夜、愛知県のビジネスホテルで突然死(心臓死)されたのです(拙著『過労死社会と日本——変革へのメッセージ』花伝社、一九九二年)。

高橋まつりさんの場合は、前述(第1章)のとおり、デジタル広告の部署に配属されていましたが、デジタル広告は、二〇一〇年ごろからとくに需要が拡大した新規分野であり、会社としての体制がまだ整備されておらず、人員も少なかったことが、彼女の過重労働の原因の一つとなりました。

## 過労死のリスクはどこに

経済不況の時代には、とくに業績困難な部署が生まれます。

大崎和夫さん(仮名)は、大学を卒業し、二〇〇二年四月に食品の卸売販売会社に就職。栃木、茨城、群馬などの地域で、カップ食品を小売店舗に卸売する営業に従事することになりました。彼は、入社後四月から九月までは、上司のもとで主として業務の流れを研修していましたが、一〇月からは顧客を担当して具体的な営業活動の責任を負うこととなり、「予算」という名の月々の販売目標数値を、「何があっても達成する」よう指示されていました。ところが、当時は、デフレに伴う卸値の低落も重なって、「予算」の達成にはとても厳しい市場環境でした。このため、大崎さんの達成率は低く、一〇月、一一月と次第に元気がなくなっていきました。一〇月下旬ごろには、顧客の取引に関して発注ミスをし、その顧客の店を訪問して事後処理に追われました。この結果、月に一〇〇時間を超える時間外労働を余儀なくされたのです。そして、「予算必達」や顧客トラブルによる心理的負担も重なって、精神疾患を発病し、一二月下旬に死亡しました。二〇〇六年一一月、東京地裁は、彼の死亡が労災であることを判決で認めました(前掲『過労自殺　第二版』一二二頁)。

バブル経済崩壊後、国民消費の落ち込みが続いてきましたが、そのような時期にあっては、従来の実績を維持すること自体が困難な状況が生まれます。経営者や上司の中には、過去における業績が順調だったころのことを想定して、部下を指導する人が少なくありません。しっかりと現状を踏まえた労務管理を行わないと、単に業績が上がらないだけでなく、労働者のいのちと健康が破壊されてしまうことがあるのです。

会社の経営者は、急に長時間労働や過重労働が発生する部署が生まれることを念頭に置いて、常に内外の社会情勢、あるいはさまざまな要因の変化を把握していくことが必要です。

たとえばある部署で突然退職をする人が、一人、二人生まれるといった場合にも、残された従業員の業務量が急激に増えて、過労死のリスクが発生します。適正な業務量調整と適正な人員配置を実現するには、上記のような急な状況変化にも対応することが可能な社内体制を日常的につくっておくことが必要です。普段からぎりぎりの人員で仕事を回していると、一人の従業員が欠けただけでもほかの従業員に大きな負担増となります。日本では、「コスト削減」ということが強調されていますが、一定の人的資源の余裕が健康な職場づくりには不可欠です。

## 3 過度な注文と過剰サービスのスパイラルを是正する

### お客様のご要望にそって、だけでよいのか

日本における過労死発生の背景には、社会全体として働き過ぎを助長している構造があります。日本の会社は「お客様は神様」とたてまつり、顧客（取引先・消費者など）の注文に対しては、たとえそれが会社の労働者にとって長時間労働・休日労働を求められるものであっても、その注文に応じて仕事をするのが大事であるとの理念がつくられてきました。

たとえば、金曜日の午後に取引先から注文が入り、月曜日の朝までに完成させてほしいと言われると、注文を受けた会社は、その顧客の要請に応えようとし、労働者が金曜日の夜、さらには土曜日・日曜日にも仕事をして月曜の早朝までに完成させるような慣行が生まれました。第1章の高橋まつりさんが勤務していた広告代理店でも同じような状況を繰り返していました。

また、宅配便業界においては、宅配物を配達するために、夜遅くまで運転手が仕事をせざるを得ない状況が続き、その長時間労働が大きな社会問題になっています。たしかに、自宅を留守にしがちな人にとっては、夜遅くでも荷物を運んでくれるのはたいへんありがたいことではありますが、そのような便利さのために、労働者が過労死にまで至るのは、社会の構造としておかしいと考えます。

一九九〇年代はじめに、「日本のわがまま運びます」という宅配会社のCMが流されていました。このような宣伝文句のもとで、宅配業界は急成長し、市民生活は便利になったかもしれませんが、いま、その見直しが強く求められています。

ドイツでは、「労働者の権利>消費者の便宜」との社会的な共通認識がありますが、日本では、「労働者の権利＜消費者の便宜」との観念が定着しています。長時間労働や過労死をなくすために、労働者と消費者の関係性について、深く考え直す必要があります。

サービスを受ける市民もサービスを提供する労働者も同じ人間です。過度なサービス要求や、過度な労働提供の慣行は改善しなければなりません。

二〇一八年七月二四日に閣議決定された「過労死等の防止のための対策に関する大綱」(略称「過労死防止大綱」)は、「商慣行・勤務環境等を踏まえた取組の推進」との項目をつくり、次のように述べています。

長時間労働が生じている背景には、個々の事業主が労働時間短縮の措置を講じても、顧客や発注者からの発注等取引上の都合により、その措置が円滑に進まない等、様々な取引上の制約が存在する場合がある。このため、業種・業態の特性に応じて発注条件・発注内容の適正化を促進する等、取引関係者に対する啓発・

働きかけを行う。

また、業種の枠を越えた取り組みを進めるために、事業主団体・経済団体による「長時間労働につながる商慣行の是正に向けた共同宣言」が、二〇一七年九月に取りまとめられました。

そうした動きを受け、宅配大手各社は、サービスや待遇の改善に乗りだしました。

# 4 公務員は働き過ぎでもよいのか

## 霞が関は不夜城？

会社の利益を追求するために働き過ぎるのは良くないが、社会的意義のある仕事の場合には働き過ぎもやむを得ないのではないか。そのような意見を聞くことがあります。

しかし、さまざまな職業を、お金儲けのための仕事と社会的意義のある仕事に分けてしまうことには疑問があります。人間の生活のために全く役立たない仕事というのは、ほとんどないと思います。程度の差こそあれ、どの仕事もほかの人びとのためになっているはずです。

ただ、公務員のように国民の税金から給与が支払われている場合には、公共性が高いことは間違いありません。では、公務員の場合は、国民・住民のために働き過ぎとなってもやむを得ないのでしょうか。

私は、公務員も長時間労働に陥ってはならないと考えます。なぜなら、公務員もまた一人の人間として健康に生きる権利があり、また、家庭生活をはじめプライベートな生活を楽しむ権利があります。

ところが、日本では、国家公務員・地方公務員を問わず、長時間労働が当たり前のようになってしまっています。日本の立法・行政の中心地である東京・霞が関の官庁ビル街は、夜一〇時を過ぎても、ほとんどのビルの明かりがついたままで、不夜城《ふやじょう》とも呼ばれています。かつて、夜一〇時ごろに霞が関を訪れたイギリスの公務員が、その光景にびっくりした、という逸話があります。

もちろん、何か緊急事態、たとえば大地震などの大災害が発生したときに深夜にわたって対処をすることが必要な場合はあります。しかし、現状は、国会の会期中(一月から六月の通常国会や秋の臨時国会など)などでも、ほぼ同じような状況がずっと続きます。国会議員が質問したり答弁したりするための準備を、公務員がやらされているからです。議員からの要請が急に来ることが多いので、深夜労働をしなければなりません。さらに、与野党間で紛糾して徹夜国会となることが年中行事のようになっています。国会議員は席について眠っている人が多いのですが、国会の職員は文字通り徹夜労働を強いられます。与野党はそれぞれの言い分があるのでしょうが、公務員の健康ということをもっとしっかり考慮して、立法活動を進めていくことが必要です。

## 真の住民ファーストを目指して

地方公務員についても過重労働の職場がたくさんあります。地方自治体の公務員が熱心に働くことは住民にとって望ましいことではありますが、現実の公務員の人数などを配慮せずに、住民サービスを過度に求めてしまうと、公務員の健康に悪影響が生じます。地域によっては、「住民ファースト」の理念が強調されるあまり、その行き過ぎが生じているところがあります。公務の提供を受ける住民も公務を提供する公務員も同じ人間です。住民側が公務労働者の勤務条件をより配慮することが求められています。

小中高の学校教員の働き過ぎが長きにわたって続き、改善されていません。その背景として、日本社会があまりにも多くのことがらを学校側に要求し過ぎていることが挙げられます。

かつて、関東地方の高校の先生が過労死で亡くなりましたが、生活指導担当だった先生の自宅には夜、住民から「生徒が塀に立ち小便をしている」と苦情電話があるなど、学外での生徒の問題行動や指導に時間を割かれ、疲れ切ってしまっていたとのことでした。学校内での教科授業以外に部活動の負担があり、加えて、現場の先生を悩ませているのが、生活指導のことがらです。日本では、何かあったら学校に持ち込む慣行がつくられていますが、本来は、学校だけでなく家族、地域、行政全体で取り組むテーマのはずです。

公務員、学校教員の健康が確保されなければ、良き行政、良き教育を実現することはできません。

## 5 職場のハラスメントをなくす

### 罰則規定のないパワハラ防止法

過労死・過労疾病《しっぺい》は、長時間労働・深夜労働などの過重労働による疲労の蓄積によって発生しますが、もう一つの原因として、職場のハラスメントによるストレスの蓄積も重要な要素であることが指摘されています。ハラスメントとは、いじめ、嫌がらせの意味です。

職場のハラスメントには、大別してセクシュアル・ハラスメント(以下、セクハラ)とパワー・ハラスメント(以下、パワハラ)があります。セクハラとは、性的な内容を伴うハラスメントで、パワハラとは、通常、上司が部下に対して行うハラスメントを指しますが、ときには、同僚間のハラスメントや部下から上司に対するハラスメントもあり、さらに、取引先や消費者からのハラスメントもあります。

日本の職場では、長時間労働と併存してハラスメントが労働者を苦しめることが多々あります。セクハラについては、二〇世紀の後半から世界的にこれを規制する法律がつくられ、日本でも法律でセクハラを禁止する規定が定められています。それでも職場で容易にはセクハラは解消せず、近年には、いわゆる「#MeToo」運動がアメリカを起点に進められています。

セクハラ以外のハラスメントについても、欧州を中心にして一九九〇年代後半からこれを規制する法律が制定されはじめました。日本では、法律の制定が遅れましたが、二〇一九年五月「改正労働施策総合推進法」が成立し、大企業には二〇二〇年六月から、中小企業には二〇二二年四月から義務づけられる予定となっています。

この新しい法律(以下、パワハラ防止法)は、職場でのパワハラを防ぐためにつくられたもので、パワハラを、優越的な関係を背景とした言動であって、業務上必要かつ相当な範囲を超えたものによりその雇用する労働者の就業環境が害されること、と定義しています。そして、企業に対して職場でのパワハラを防ぐために相談窓口の設置などの防止策をつくって運用するよう義務づけています。対策に取り組まない企業には、厚生労働省が改善を求め、従わない場合には企業名を公表する場合もあります。ただ、この法律ではパワハラを行ってはならないと規定しましたが、罰則規定は入っていません。

また、前述の定義は、狭く解釈されるおそれがあります。たとえば、同僚間のハラスメントや部下からのハラスメント、さらに取引先・顧客からのハラスメントなどが対象外とされる危険があります。また、ひどいパワハラ発言があっても具体的被害を証明しなければパワハラとみなされない危険があります。したがって、今後このパワハラ防止法を実際に効果あるものにしていくためには、法律改正、適切な通達・指針を補充するなどの行政措置が必要と考えます。

## 国際条約

加えて重要なことに、日本の国会でパワハラ防止法が成立した後、二〇一九年六月二一日に、ＩＬＯ（国際労働機関）が総会で、働く場での暴力・ハラスメントを禁止する条約と勧告を採択したことです。同条約では、仕事のうえでの暴力・ハラスメントを「「単発的か反復的なものであるかを問わず、身体的、精神的、性的または経済的な害悪を与えることを目的とした、またはそのような結果を招くもしくはその可能性が高い」一連の許容できない態度及び行為またはその脅威」と定義し、職場だけでなく出張中や通勤中の行為、ＳＮＳなどによるやりとりも対象にしています。そして、加盟国には暴力・ハラスメントを禁止し、使用者に防止措置を求める法的整備や被害者の保護・救済を義務づけています。

日本政府も、この条約の採択に賛成しました。国会でこの条約を批准し、前述したパワハラ防止法を改正し、条約の内容にそって、法律を改正していくことが求められています。

悪質なハラスメントは、被害者の心身の健康を奪い、ときとして死に至らすこともあります。二〇〇七年一〇月一五日、東京地方裁判所は、上司(係長)によるひどいパワハラを受けていた労働者が死亡(自殺)した事件について、これを業務上の死亡(労災)と認定しました。この事件では、上司が部下に対し、「存在が目障りだ」「御願いだから消えてくれ」「車のガソリン代ももったいない」「給料泥棒《どろぼう》」などと罵倒《ばとう》していたことが明らかになりました。この判決を大きな契機としてパワハラをなくそうとする世論が広がっていきました(前掲『過労自殺　第二版』五〇頁)。

ハラスメントは、就職活動中の学生に対しても発生しています。

とくに、就活中の女性に、企業側の採用担当者が、執拗に食事やカラオケに誘うことがよくありますが、このような行為は、セクハラ行為として許されません。また、面接の折に、「交際している男性がいますか」「結婚の予定はありますか」などと質問し、個人生活に不当に介入することも、許容されません。

## ハラスメントは人格権の侵害

ハラスメントは、重大な人格権の侵害であり、基本的人権を侵すものです。日本の会社では、上司が部下を指導するとの名目で暴言がはかれ、ときとして暴力まで振るわれていますが、このような行為は適切な指導とは決して言えず、刑事犯罪に該当する行為もあります。日本国憲法の人権尊重の規定は、市民生活はもとより、企業の中にあっても適用されなければなりません。ハラスメントをなくすためには、何よりもまず、日本の経営者・幹部・管理職が人権侵害を行ってはならないとの理念を職場全体に徹底することが必要です。

と同時に、ハラスメントを生む企業内の土壌を変えなければなりません。上司がなぜ暴言を吐いたり、暴力を振るったりするのでしょうか。それは、当人の人権意識の欠如、ないし希薄さが重要な原因ですが、それだけではありません。

まず、その上司が長時間労働などで非常に疲れていることがよくあります。人間は、だれしもあまりに過労状態になるとイライラし、そのはけ口として自分よりも相対的に立場の弱い人に当たり散らす傾向があります。かつて「疲れると優しくなれない」というテレビCM(飲料メーカー)が流されていましたが、肉体的・精神的疲労がたまってしまうと、往々にしてそのストレスを周囲に向けて発散してしまうのです。問題は、職場において上司が部下に対して配慮がないストレス発散をしてしまったとき、部下がこれに不満を述べたり反論したりすることが、たいへん困難なことです。たとえば、上司が部下の仕事がはかどらないときに、「バカヤロー!」と怒鳴ったりすることがしばしばありますが、これらの言動は、正当な業務指導の範囲を超えて部下に心理的な打撃を与えるものとなります。さらにひどくなると、部下の人格を否定するような言動まで行うこととなります。したがって、職場のハラスメントをなくしていくためには、職場全体の過労状態を改善することが重要です。どんなに優しい人柄であっても、あまりの過労状態に陥ればハラスメントを行う危険性はあります。

## 抑圧の移譲

上司が部下に対してハラスメント行為を行っている職場を見ると、実は、「上司の上司」が、上司に対して暴言を吐いたり無理難題を押し付けたりしていることがしばしばあります。このような現象は、「抑圧の移譲」と呼ぶことができます。

戦後日本を代表する政治学者の一人である丸山真男氏は、太平洋戦争中の軍隊生活において、上級の兵から下級の兵に暴力・いじめが順次繰り返されていくことを体験し、これを「抑圧の移譲」と表現し、「上からの圧迫感を下への恣意の発揮によって順次に移譲して行く」と説明したうえで、「人は軍隊生活を直ちに連想するにちがいない。しかしそれは実は日本の国家秩序に隅々まで内在している運動法則が軍隊に於て集中的に表現されたまでのこと」と指摘しました(丸山眞男著、古矢旬編『超国家

主義の論理と心理　他八篇』岩波文庫、二〇一五年)。戦後七〇年以上経過した現在においても、このような状態が日本社会に温存されており、とりわけ企業内部において強固に根付いています。また、かなりの学校の体育系サークルや部活において、年次の支配・縦の支配という形態で理不尽《りふじん》な暴力や規律が残っており、これが企業内のハラスメントにつながっています。

弱者たる平社員や非正規雇用者は、企業内においては自分より下位の者に抑圧を移譲することができないため、往々にして家庭内においてそのストレスを発散し、ときには妻や子どもに対して暴力(ドメスティック・バイオレンス。DVともいう)を振るうこともあります。また、なかには不特定多数の人びとに向かって「通り魔犯罪」を犯してしまうことすらあります。このように、企業の中のハラスメントの影響は、企業外の一般社会にも出ているのです(図2参照)。

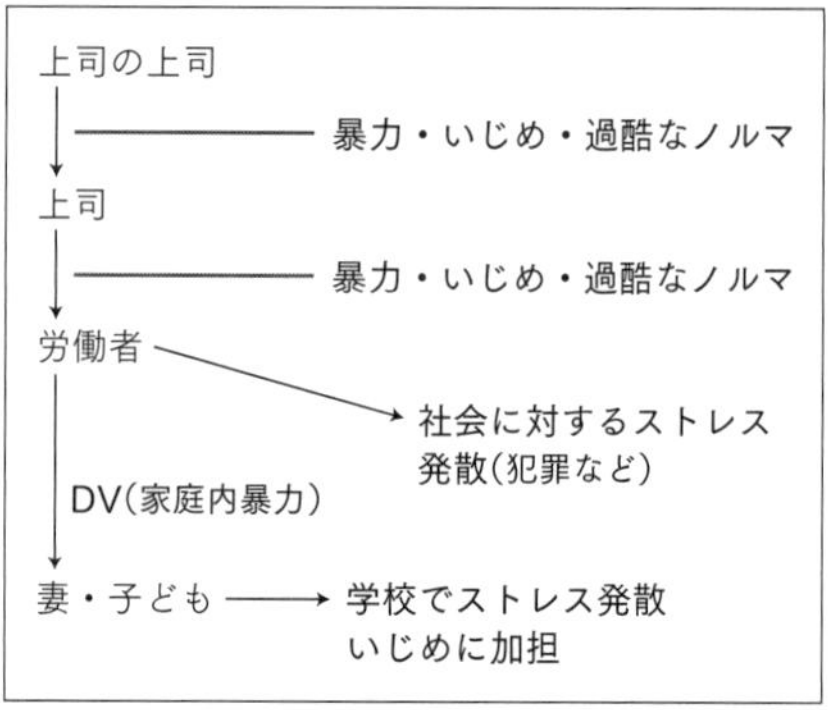


図2　抑圧・いじめの社会の構図(川人博 原案)

## 公共性の高い職場でのハラスメント

企業においてその利益を追求するあまり、無理なノルマを課すなどして従業員のストレスが充満してしまうことがハラスメントの土壌になっています。と同時に、公共性の高い職場、すなわち、医療・福祉・教育などの公共的な使命を持っている職場に対しては、職場外からの要請が強いあまり、公務員などの労働者がプレッシャーを感じ、ストレスをためるという状況が生まれています。その結果、このような職場においてもストレス発散がハラスメントというかたちで現れることが頻繁《ひんぱん》にあります。

ハラスメント研究で有名なフランスの精神科医マリー＝フランス・イルゴイエンヌ氏は、病院など公共性の高い職場において、ハラスメントがたびたび発生していることを実例に基づき指摘しています(『モラル・ハラスメントが人も会社もダメにする』高野優訳、紀伊國屋書店、二〇〇三年)。

第1章2のケース④で示したような日本の学校職場の問題点として、職場外からのハラスメント(保護者からの不当なクレームなど)が多発しており、その結果、教員のいのちと健康が脅かされる事態まで生まれています。

民間企業においても公務員においても、顧客や保護者などからの要請に丁寧に応えることは大切ですが、理不尽な要求に対しては毅然とした対応を組織的に行うことは必要です。それによって若い労働者や公務員を守ることが可能となります。

## 良きリーダーシップが悪しきパワハラを駆逐する

近年になって、日本でもようやく職場のハラスメントのひどい実態が暴露され、これらを防止する取り組みが社会的に議論されることとなり、企業内においてもハラスメント研修会などの社内教育も始まっています。これらのことは貴重な前進であると言えますが、他方では、あまりにもネガティブリスト(○○してはいけない)だけが強調されるのは問題があると思います。

そもそも、企業に限らず、さまざまな団体を含め組織においては、良きリーダーシップを果たす人間の存在が必要です。あるいは、そのようなリーダーを育成することが必要です。ハラスメント行為は、良きリーダーシップの対極にあるものと言え、良きリーダーシップを広げることが、悪しきパワハラを排することにつながります。

言うまでもなく、良きリーダーシップとは鉄拳《てっけん》制裁のような暴力とは全く無縁なものであり、一人ひとりの構成員を人間として尊重する姿勢から生まれます。

日本のラグビー界のレジェンド平尾誠二氏(二〇一六年逝去)が、親交の深い山中伸弥医師(iPS細胞研究者)に語った内容として、「人を叱る時の四つの心得」があります(山中伸弥、平尾誠二・惠子『友情　平尾誠二と山中伸弥「最後の一年」』講談社、二〇一七年)。

① プレーは叱っても人格は責めない。
② あとで必ずフォローする。
③ 他人と比較しない。
④ 長時間叱らない。

この四つの心得は、パワハラとは真逆の関係にあります。パワハラの特徴は、仕事のことを叱るだけでなく部下の人格まで攻撃することです。また、叱った後でフォローはしません。往々にして「○○はできるのに、お前はできない」などと、ことさら他人と比較します。長時間にわたり、ネチネチと叱り続けることがよくあります。上司は座ったままで、自分の前に部下を立たせて叱りつけます。

ハラスメントさえ発生しなければよいという消極的な姿勢では、職場の人間関係は良好にはなりにくく、楽しく活気のある職場にはなりません。望ましいのは、良きリーダーシップが発揮されている状況であり、その中で一人ひとりの個性が発揮され、健康な職場を実現していくことです。

## 6 健康な職場をつくり健全な会社経営を

### 過労死と業務不正

過労死が発生している職場では、業務の不正が同時に発生していることがよくあります。

二〇一六年九月下旬、大手広告代理店電通は記者会見を開き、インターネット広告業務で、二〇一二年一一月一日から二〇一六年七月三一日までの間に、六三三件の不正取引を行い、その広告代金が約二億三〇〇〇万円にのぼっていることを認め、謝罪しました。広告を掲載していないのにクライアントに過大請求していた分もありました。電通側は、「担当部署が恒常的な人手不足に陥っていた」と説明しました。ネット広告の急速な拡大で現場の負担が増していたにもかかわらず、適切な人員配置を怠っていたのです。このインターネット広告部門は、高橋まつりさんが所属していた部署でした。そして、この不正謝罪会見の一週間後には高橋さん(二〇一五年一二月死亡)の労災認定が出されました。このように、業務過多・人員不足は、一方で長時間労働・過労死を発生させ、他方で業務不正を生み出すのです。

大手宅配便会社でも、同じようなことがありました。業務過多から長時間残業が常態化し、過労死が発生していましたが、他方で顧客に不正な過大請求をしていました。ある海外案件のコンサルタント会社では、ODA(政府開発援助)に絡んだ事業で会計不正を行いましたが、同じころに、発展途上国に海外出張中の社員が過労死で亡くなり労災と認定されました。

太平洋戦争後に多数の日本兵がシベリアに抑留され、強制労働を課せられました。強制収容所の職員・幹部は、過酷な長時間労働を日本兵に課しましたが、他方では、政府あてに「水増し報告」を行っていました(富田武『シベリア抑留――スターリン独裁下、「収容所群島」の実像』中公新書、二〇一六年)。

目標とする業績・ノルマに見合う人員が確保できていないのに、納期を守れる体制が整っていないのに、無理矢理目標を達成しようとしたり、納期に間に合わそうとすると、そこに過重労働が生まれ、不正が生まれるのです。

その意味で、過労死は、職場の病理現象の象徴的なことがらとも言えるのです。過労死を発生させる職場は、会社が病んでいます。過労死を防止することは、健全な会社経営を行うことにつながります。

## CSRは足元の遵法精神から

CSR(Corporate Social Responsibility＝企業の社会的責任)とは、企業は単に利益を追求すれば良いということではなく、人権や法の遵守《じゅんしゅ》、環境問題への配慮、地域社会との共存・貢献など企業が果たすべき社会的責任を意味します。ＣＳＲの観点から見ても、過労死・違法残業はとても重要なテーマです。

ＣＳＲと言うと、ともすると企業は、地球環境保護とか、ある意味で「高尚な」テーマに飛びつく傾向がありますが、ＣＳＲは、もっと足元の遵法《じゅんぽう》精神から考えていくことが大切です。過労死が発生しているほとんどの職場で、労働基準法違反などの違法な長時間残業が行われています。最も身近なところで、法令違反や人権侵害が行われていれば、そのような違法行為体質は、会社経営全体に広がっていきます。

第1章で取りあげた高橋まつりさんの場合には、会社内の労使協定（三六《サブロク》協定、第3章参照）では、残業の上限が一カ月七〇時間とされていました。ところが、忙しくてとてもその程度の残業では仕事が終わりませんでしたので、高橋さんや同僚は、七〇時間を超える残業を余儀なくされました。そうしたところ、上司が、高橋さんや同僚に対して、会社への報告は（七〇時間を超えて働いていても）過少に申告するように指示しました。

高橋さんはメールで、ある先輩に、「うちの部長の方針で社内飲食とかにしてます」「七〇までにしろって言われてるんです。俺の若い時は社内飲食にしてたぞって」と述べています。つまり、仕事のために深夜まで会社内にいたことについて、会社への報告では社内で飲食をしていたことにして、つじつまを合わせるようにと、指示されていたのです。このような違法な労働時間隠しは、ほかの多くの企業でも行われているのが現状です。

実労働時間隠しというのは、粉飾労働記録であって、このような不正行為が、遵法精神を麻痺させていき、クライアントへの不正請求、会計不正(粉飾決算)まで行うことにつながるのではないでしょうか。

二〇〇〇年代前半に、東芝の女性技術者が業務の過労・ストレスによってうつ病に罹患《りかん》し休職を余儀なくされたのですが、会社側が休職期間満了と同時に彼女を解雇しました。この事件で最高裁は、全面的に企業の責任を認め、解雇も無効となりました(二〇一四年三月二四日判決)。この判決が出てまもないころに、東芝が巨額の不正経理を行っていることが明るみになり、以降、深刻な経営危機に直面しました。過重労働の強制と不正経理問題は、ＣＳＲの欠如という意味で通底しています。

労働法規を遵守し、従業員の健康に配慮することが、会社が健全に発展するための不可欠な要素なのです。

## 7 労働についての学び

### 「働くこと」を学ぶ

過労死をなくすためには、義務教育・高等教育の段階から、働くことについて学び考えていくことがとても大切です。

日本の学校教育は、ともすると、受験を意識した勉強が中心になってしまい、実社会に出てから自らがどのように働いていくのか、という観点が弱くなりがちです。また、実際に企業を訪問して学ぶ機会が少なく、とくに中学・高校になると座学が中心となります。外国の高校などでは、相当の期間、実社会での研修をカリキュラムに組

写真６　厚生労働省委託事業「労働問題・労働条件に関する啓発授業」のチラシ（一部）（資料提供：厚生労働省）

み込んでいるところがありますが、日本では、一部の学校を除けば、このような教育システムが採用されていません。

二〇一四年に成立した過労死等防止対策推進法（過労死防止法）に基づき、過労死を防止するためには、中高等教育段階での啓発活動が大切であるとの考えから、厚生労働省が主催して、過労死防止啓発授業を全国の学校で実施する取り組みを始めました。この結果、二〇一六年度から毎年、各地の中学・高校・大学に、過労死遺族や弁護士が出向いて、出張講義を続けています（写真６）。

私も、毎年五校以上の出張講義を行い、東京に限らず全国の学校で、過労死の実態、予防対策、ワークルール教育を続けています。学校によっては、先生の指導のもと、生徒が啓発授業の事前学習・事後学習をしっかりとやっています。

たとえば、東京学芸大学附属高校公民科(楊田龍明教諭)では、「はたらくことのリアルに迫る」と題して授業実践を行っています。高校二年生が両親やきょうだいから職場での長時間労働やハラスメントの実情について聴き取りをして、それらを基礎に学生間でディスカッションをし、また、講師との質疑をしています(写真7)。そして、まとめとして、生徒がチームごとに手づくり新聞を発行して、自分の意見を表明しています。

写真7 高校での講演風景(写真左, 筆者. 右は, 公民科の楊田教諭)

私は、同校で出張講義を行った際に、高橋まつりさんの話をしたことがありますが、そのとき、彼女が勤務当時に電通の社訓とされていた「鬼十則」について説明しました。「鬼十則」は、電通の社員手帳(「Dennote」)に次のように印刷されていました。

**電通「鬼十則」**

1. 仕事は自ら「創る」べきで，与えられるべきでない．
2. 仕事とは，先手先手と「働き掛け」て行くことで，受け身でやるものではない．
3. 「大きな仕事」と取り組め，小さな仕事はおのれを小さくする．
4. 「難しい仕事」を狙え，そしてこれを成し遂げるところに進歩がある．
5. 取り組んだら「放すな」，殺されても放すな，目的完遂までは…….
6. 周囲を「引きずり回せ」，引きずるのと引きずられるのとでは，永い間に天地のひらきができる．
7. 「計画」を持て，長期の計画を持っていれば，忍耐と工夫と，そして正しい努力と希望が生まれる．
8. 「自信」を持て，自信がないから君の仕事には，迫力も粘りも，そして厚味すらがない．
9. 頭は常に「全回転」，八方に気を配って，一分の隙もあってはならぬ，サービスとはそのようなものだ．
10. 「摩擦を怖れるな」，摩擦は進歩の母，積極の肥料だ，でないと君は卑屈未練になる．

（第4代吉田秀雄社長の遺訓）

（「Dennote」 2015年版　10頁）

その中には、「5．取り組んだら「放すな」、殺されても放すな、目的完遂までは……。」という、過度な精神主義を強いる言葉などがあったため、高橋さんの遺族の強い要請も踏まえて、電通は、高橋さんが亡くなった後に、社員手帳から「鬼十則」を削除しました。

東京学芸大学附属高

**天使十則**

1. 仕事は自ら創るべきで，休暇も自ら作るべきである．
2. 休暇とは，働き掛けていくもので，受け身でとるものでもある．
3. 大きな仕事と取り組め，大きな人数でおのれを支え合え．
4. 難しい仕事を狙え，そしてこれを協力して成し遂げるところに進歩がある．
5. 取り組んだら見失うな，1度放してもいいから見失うな，目的完遂までの道は1つではない．
6. 周囲に声をかけろ，声をかけるのと声をかけられるのとが，仕事の向上のカギである．
7. 目標を持て，長期の目標を持っていれば，過程を柔軟に変えられ，そして正しい努力と希望が生まれる．
8. 自信をもて，君の仕事には，迫力も粘りも，そして厚味のすべてがそろっている．
9. 頭は常に全回転，八方に気を配り，一分の隙のつくりどころを見極めねばならぬ．サービスを伸ばすのはこの一部の隙である．
10. 辞職を怖れるな，辞職は進歩の母，積極の肥料だ，転職は君の人生を豊かにする．

（高校生がつくった「鬼十則」の真逆にある「天使十則」）

校の生徒は、こうした経過を理解したうえで、「鬼十則」に代わる「天使十則」をつくり、手づくり新聞に発表しました。そこでは、「5．取り組んだら見失うな、1度放してもいいから見失うな、目的完遂までの道は1つではない。」と言い換えられています。過度な精神主義ではなく、柔軟な思考が大切だと示唆しています。「鬼十則」の「10．「摩擦を怖れるな」、摩擦は進歩の母、積極の肥料だ、でないと君は卑屈未練になる。」は、「10．辞職を怖れるな、辞職は進歩の母、積極の肥料だ、転職は君の人生を豊かにする。」と置き換えられています。社内の摩擦による過度のストレスを避けて辞職するのも一つの生き方であると言いたかったのでしょう。なかなかウイットに富む作品です。

また、宮沢賢治の有名な詩に「雨ニモマケズ」という作品がありますが、これを言い換えて次のような詩をつくって発表した生徒もいました(原文のママ)。

現代版　雨ニモマケズ

雨にもまけず　風にもまけず
徹夜にも上司の無理難題にもまけぬ
丈夫なからだをもち

文句はなく　決して愚痴らず
いつも静かに黙っている
一日にコンビニ弁当と
水を少しの時間で食べ
あらゆるときも
残業を労働時間に入れずに
よく言うことを聞き
そして休まず
都会のビルノ林の中
小さな部署の隅のですくにいて
東にミスをした後輩あれば
行ってカバーしてやり
西に疲れた上司あれば

行ってその仕事を代わりにやり
南に死にそうな人あれば
みんながんばっているんだと言い
北に部下からの訴えがあれば
お前の立場が悪くなるだけだと言い
日照りの外回りの時は汗を流し
寒い日も取り引き先に入る前にコートを脱ぎ
みんなに給料泥棒と呼ばれ
ほめられもせず　気にもされず
そういうものに
わたしはなりたい

同じく賢治の詩を、次のような生き方に転換した生徒の作品もあります。

負ケテモイイ
雨ニ負ケテモイイ
風ニ負ケテモイイ
雷ニモ夏ノ暑サニモ
負ケテモイイ
体ハ丈夫ジャナイ
無理ハナク
タマニハ怒リ
自分ノ気持チニ素直ニナル
タダ仕事ヲ楽シメル
そういう人に私はなりたい

生徒・学生のみなさんが、普段学んでいる歴史や文学、その他さまざまな学問にも関連させながら、自らの思考を発展させていくことは、たいへん貴重な学びであると思います。この授業実践の詳細は、「はたらくことのリアルに迫る」として紀要論文になっています。【東京学芸大学リポジトリ】で検索して読むことができます。

## 遺族からのメッセージ

出張授業では、ときに遺族の方もお呼びし、生徒たちに話をしてもらうこともあります。痛ましい体験を話すことは、非常につらいことも多いのですが、二度とわが子と同じ目にあう人がでないように、また大切な家族を失うことがないように、若い人たちへ言葉を届けてくださいます。次のメッセージは、高橋まつりさんのお母様からのメッセージです。

## 啓発授業遺族メッセージ

2019.6

みなさんこんにちは。

過労死防止全国センターの高橋幸美と申します。

今日は娘の「高橋まつり」の過労自殺の話を聞いて、過労死から身をまもる方法を考えるきっかけにして欲しいと思います。

娘は二〇一五年一二月二五日のクリスマスの朝、会社の借り上げマンションから飛び降りて、二四歳の若さで亡くなりました。大学を卒業して、大手広告代理店に新入社員として働きはじめて、わずか九カ月のことでした。

その日の朝、娘からメールがありました。「お母さんありがとう、仕事も人生も全てが辛いです。さようなら」驚いて電話をすると、すぐに娘がでました。娘はそれまでに何度も「仕事が辛いから会社を辞めたい」と言っていました。私はそのたびに「会社なんて辞めて。死んじゃダメだよ」と言いました。この時も元気はなかったけど「うんうん」と応えました。五日前に娘に会った時には「年末には家に帰るから、お母さん一緒にすごそうね」と言っていたので「年末は休めるんだね。よかったね」と話したばかりでした。心配しながらも、もうすぐ休みになるし、そしたらゆっくり話をしようと思い、私は職場に行きました。職場で警察から連絡を受け、目の前が真っ白になりました。「電話の後すぐに、新幹線で駆けつければ、娘を助けられたかもしれない」と、何度も同じことを頭の中で考えました。クリスマスイルミネーションに輝く、東京の街を走り警察に駆けつけると、娘は静かに目を閉じ横たわり、まるで眠っているようでした。自分の命より大事な娘が死んでしまったなんて、信じられませんでした。警察で「娘さんが亡くなった原因に心当たりがありますか」と尋ねられ、娘から会社の酷い長時間労働の様子を聞いていた私は「仕事が原因です」と、すぐに答えました。過労自殺だと思いました。

　娘は小さい頃からとても健康でした。小学校六年間マラソン大会で一番でした。陸上やバスケットボール部も両立させました。

　高校を卒業して、大学に入学し、東京でひとり暮らしを始めました。就職活動では学生に人気の高い、日本最大の広告代理店に内定しました。この会社では、二〇年以上前にも過労自殺がありました。年収は高いけど激務で評判でした。靴の中にビールを注いで部下に飲ませるとか、異常な社風も有名でした。私はとても心配でしたが、娘は「私は色んな困難を乗り越えてきたんだから大丈夫。早くお母さんに仕送りしてあげられるようになるからね」と言いました。

　二〇一五年四月、入社してすぐの新人研修から残業にカウントされない、夜の研修で、遅くまで拘束されました。芸能人との顔合わせや、雑誌のイベントから帰宅して、睡眠時間を削って課題や企画書を作り、翌朝提出しました。娘はどんな課題も成果を出すために頑張りました。研修中のラジオCMのコピーが採用され、放送されました。研修の最後のプレゼンでも優勝しました。

五月に、インターネット広告の部署に配属され、六月には損害保険会社のネット広告を担当しました。毎週月曜日にあがってくるネット広告の閲覧数、クリック数、契約数、などのデータを分析し、改善点などのレポートを作成します。水曜日の定例会に提出して、話し合い、週末広告を改善します。これを一週間繰り返しました。データがくるのが夜遅くなると、作業は深夜未明におよびました。広告業界に出す論文も自宅で、徹夜で書きました。先輩に出された広告の企画も自宅に持ち帰り二晩徹夜でやりました。

一〇月には、ネット証券の担当も命じられ、二つの得意先を担当することになり、帰宅は連日、日付を超え、たびたび朝の五時になりました。徹夜勤務をすることもありました。ひどい時には連続五三時間も会社で仕事をしていました。

「明日は祝日だから今日は徹夜できるね」と先輩から仕事を振られたそうです。お昼ご飯を食べる暇もなく、デスクでコンビニおにぎりか、ご飯抜きでした。

新入社員が朝九時から翌朝の四時まで、一九時間も仕事をしている事自体信じられませんでしたが、娘の会社では、深夜労働も、徹夜も、休日出勤も、当たり前でした。みんな疲れていました。

娘は「今週一〇時間しか寝ていない」「熟睡すると起きられなくなるから、ソファーに座ったままスマホ握って二時間くらい目を閉じる」「こんなに辛いと思わなかった」と退職を口にしました。「部署異動を頼んでみて、できなかったら辞めるから、休職か退職か自分で決めるから、お母さんは口出ししないでね」ときっぱり言いました。

一一月に勇気をだして人事や上司と面談しました。私は自分でなんとかしようとしていた娘を信じました。

人事や上司に訴え、担当はひとつに減りましたが、一二月は繁忙期になり、深夜、朝五時退勤は続きました。上司は娘の勤務状況を知りながら、適切な業務配分も人員の増員も行いませんでした。それどころか娘たち部下に残業時間を短く申告するように指示していたので、うつ病になっていたのに医師の診察を受ける機会も与えられませんでした。
一二月二〇日、最後に部屋を訪ねたとき、娘は疲れて起きられませんでした。その時「年末に帰るね」と約束したのに、もう二度と帰ってくることはありません。

会社は当初、長時間労働の存在を認めず、責任を負おうとしませんでした。娘の自殺は会社の責任だと考えた私は、すぐに代理人の弁護士さんと証拠を集めて労働災害の認定を国に申請しました。死亡から九カ月後に労災と認定され、会社は責任を認め、社長が謝罪しました。二度と過労死を出さないように労働環境の改革に取り組む約束もしました。会社は労働基準法違反で有罪判決をうけました。しかし会社がどんなに謝っても、有罪になっても娘は戻ってきません。私はこの世にいない娘のことを毎日毎日考えています。

みなさんは将来、社会に出て働くことになるでしょう。自分の進路と将来を考えるとき、働く上でのルールにも関心をもち勉強して、自分の身を守ってください。

世の中には社員に違法な働き方をさせている会社がたくさんあります。長時間労働やハラスメントがある職場がたくさんあります。長時間労働やハラスメントからうつになり、正常な判断ができなくなって過労自殺に至ります。夢をもって社会に出た、たくさんの若者が過労自殺で亡くなっているのです。

みなさんは「辛ければ辞めればいいのに」と思うかもしれません。

娘のように、本当は会社を辞めればいいとわかっているのに「自分が辞めたら迷惑がかかるかもしれない」「もう少し頑張ってみよう」と思っている間に病気になり正常な判断ができなくなり、命を絶ってしまうのです。できるだけ早く休んでください。そして辞める勇気を出してください。

もし辛いことが起きても、「家族には心配かけたくない」と思うかもしれませんが、家族に相談してください。辞める勇気を出して下さい。命があればやり直すことができるのです。みなさんの命はかけがえのない命であり、ご家族にとっても、日本の国にとっても大切な命です。

命より大切な仕事はありません。人は幸せになるために働きます。働いて不幸になってはいけません。健康に活き活きとやりがいをもって働いて、幸せになって欲しいと思います。

第3章

# 健康に働くためのワークルール

これまで、過労死の具体的な事例を示しながら、それが発生した原因を考え、さらに、過労死をなくすための方策について説明してきました。

過労死をなくすために大事なことは、企業がワークルールを守ることですが、働く側もしっかりとその内容を知っておくことが大切です。「知識は身を助ける」と言われますが、これからの日本を担っていく若者が健康に生き生きと働いていくために、ワークルールを学び、それを活用していきましょう。

以下、とくに重要なワークルールについて、Q＆Aのかたちをとりながら説明します。

## ●ワークルールの目的

**Q1** ワークルール（労働法）とは、どのような目的でつくられたのですか？

**A1** 使用者（会社）と労働者（従業員）は、力関係が対等ではありません。

会社は、工場、生産設備、オフィス、店舗などを持ち、預金や有価証券（株式など）もたくさん所有しています。一方、労働者は、自らの労働力を有しているのみで、会社のような組織や多くの金員を持っていません。このため会社と従業員が雇用契約を結ぶときには、どうしても力のある会社側の意向どおりになりがちです。

また、いったん雇用契約を結んだ後には、労働者は一社員の立場になり、会社の意向に逆らうことが困難な状況になります。

そこで、立場の弱い労働者をサポートするために、ワークルール(労働法)がつくられるようになりました。具体的には、労働基準法、労働契約法、労働組合法などの法律があります。民法のことを市民法と呼び、労働法のことを社会法と呼びます。

市民法は、対等な立場の市民間の関係を定めたものですが、労働法は、民法の原理を一部修正して、労働者を法律でサポートすることによって、会社と労働者をできるだけ対等な立場に近づけようとしているのです。

## ●従う義務の範囲

**Q2**

会社の上司から一日一〇時間働くように指示されました。これに従う義務はありますか？

**A2**

労働基準法では、一日八時間、一週間四〇時間を労働時間の上限とすることが定められています(労働基準法三二条)。したがって、この原則に従えば、一日一〇時間も働く義務はありません。

ただし、労働基準法三六条では、使用者と労働者の代表が特別の約束(三六協定《サブロク》)をすると、一日八時間、週四〇時間を超えてもよいと定められています。そして、日本のほとんどの企業では、この特別の残業ルール(三六協定)が決められています。たとえば、会社が忙しい場合には一日三時間の残業を指示することが可能となっています。あるいは、一カ月四五時間の残業を指示することが可能となっています。

このような特別のルールは、会社によって内容が異なっていますので、会社に入る前に、その内容をよく知っておくことが大切です。あまりに長い残業が許容されている会社に就職することは、それだけ過労死の危険が増すことになりますので、慎重な選択が必要です。

二〇一九年四月に働き方改革関連法が施行され、労働基準法の一部が改正された結果、三六協定をつくっても絶対に超えてはいけない残業時間の上限が定められました。一般の企業の場合は、一カ月一〇〇時間(休日労働を含む)未満としなければなりません。また、二~六カ月平均で月八〇時間(休日労働を含む)以内としなければなりません。

この改正についてはさまざまな意見がありますが、月に一〇〇時間近くまで残業させてもよいというのは、あまりに長すぎるとの強い批判があります。

加えて、運送業、建設業、医師などについては、この上限規制が法律上、五年間は適用されないこととなっており、運転手や建設労働者、医師の長時間労働が野放しの状態にあります。したがって、今後、労働基準法の改正をもっと実効性のあるものにしていく必要があります。

## ●バイトの休憩時間

### Q3

アルバイト先で午後二時から午後九時まで働いているのに、その間に二〇分しか休憩時間がありません。ワークルールには休憩時間の決まりはないのでしょうか。

### A3

労働基準法三四条によって、使用者は労働者(アルバイトを含む)に対して、労働時間が六時間を超え八時間以下の場合は四五分間の休憩時間、労働時間が八時間を超える場合は一時間の休憩時間を、労働時間の途中に与えなければなりません。

したがって、午後二時から午後九時まで働いて休憩時間がたったの二〇分というのは、悪質な法律違反です。午後二時から仕事をスタートしたとすれば、午後八時までの間に四五分の休憩時間を入れなければなりません。実際には、六時間も継続して働くのは精神的にも肉体的にもかなりきついので、三〜四時間程度たてば休憩時間を入れるのが適切です。

休憩時間がなかったり、少なかったりすると、労災事故の発生率が高くなります。外食産業などでは、調理の際に火傷《やけど》をする事故が多いのですが、多くの場合、労働条件が過酷であることが背景にあります。建設現場などでの事故は、いのちに直結する大惨事になります。

現場の責任者は、アルバイトの人たちの健康を配慮し、とりわけ休憩時間は法律の規定を必ず守ること、そして規定を上回る量の休息をとれるように努力すべきです。

## ●休日の取得は命令次第？

**Q4**

「今月は忙しいから月に三日しか休みはない」と社長から言われました。休日のワークルールについて教えてください。

**A4**

使用者は労働者に対し、最低週一回の休日(法定休日)を与えなければなりません(労働基準法三五条)。したがって、月三回の休日は法律違反です。実際上は、日本をはじめ欧米各国では、週一回の法定休日だけでなく、多くの企業で土曜日や祝祭日も休日としています。

ただし、平日の残業と同じように、特別の約束(三六協定)が会社と労働者代表との間で決められている場合には、例外的にこの休日が少なくなることがあります。

しかし、最低週一回の休日は労働者の健康を保ち、かつ、生活とのバランスを保つための必要不可欠なものです。会社が単に忙しいというような理由で月三日の休日しか認めないのはあってはならないことです。

## ●有給休暇って何？

**Q5**

有給休暇とは、どのような休暇のことですか？

私は、土曜出勤の会社に勤めていますが、「二カ月先の土曜日に、きょうだいの結婚式があるので休暇をとりたい」と上司に話したところ、「うちの会社は土曜日が忙しいのだから、ダメだ」と言われました。

**A5**

有給休暇とは、労働者の休むための権利です。半年以上勤務し、八割以上出勤している労働者であれば、年間一〇日の休日を自由にとることができます。

休暇の目的は、何でも構いません。また、正社員ではなくとも、つまり契約社員や派遣社員、パート、アルバイトなどの労働者の場合も、出勤回数が多いときは、その日数に従って有給休暇を取得することができます。

設問のケースでは、会社は、あなたの休む権利を尊重し、有給休暇を与えなければなりません。たしかに土曜日が忙しい職場(百貨店や娯楽施設など)が日本には多いですが、だからと言って、二カ月も先の親族の結婚式に出たいとの要求を会社は拒否することができません。

会社としては、あらかじめ人員の調整などを行うことが必要であり、労働者の有給休暇権を尊重するような労務管理を日常的に進めることが大切です。

## ●求人票の記載と違うのってあり？

**Q6**

就活の際に会社の求人票を読みましたが、入社して働いてみると、実態がずいぶん違っています。たとえば、残業が月に一五時間程度と書かれていたのに、実際入ってみると、一年目から月に一〇〇時間近い残業をさせられています。
求人票には、本当のことを書く義務はないのでしょうか。

**A6**

会社が求人票や求人情報ホームページで示した労働条件(仕事の内容・場所・賃金・労働時間・休日など)は、原則として入社してからの労働条件になります。したがって、求人票に書いた残業時間と大きく異なるような残業を命令することはできません。

　第2章でふれた大崎和夫さん(仮名)も、求人票と実態の落差のはざまでいのちをおとしました。大崎さんは、ある関東地方の大学を卒業して、二〇〇二年の四月にカップラーメンなどの食品卸売販売会

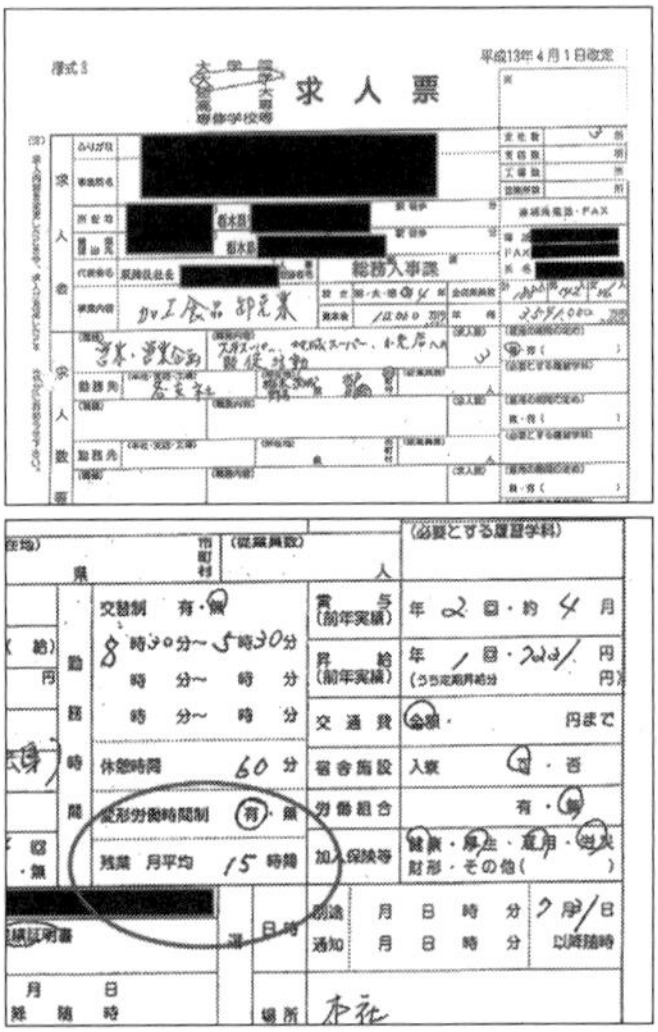
平成13年4月1日改定
求人票
[redacted]
総務人事課
加工食品卸売業
交替制　有・無
8時30分～5時30分
休憩時間　60分
変形労働時間制　有・無
残業　月平均　15時間
賞与（前年実績）　年2回・約4月
昇給（前年実績）　年1回
交通費　全額・　円まで
宿舎施設　入寮　可・否
労働組合　有・無
加入保険等　健康・厚生・雇用・労災　財形・その他（　）
[redacted]
場所　本社

写真8　ハローワーク経由で大学に出された求人票．実際の労働は過酷だった

社に就職しました。彼が見たハローワーク経由で大学に出された求人票(写真8)によれば、営業職で「残業月平均一五時間」と記載されていました。ところが、大崎さんは就職後、一〇月ごろから営業の仕事が急激に増え、労働時間が激増しました。朝八時半から夜一〇時ごろまでの仕事が続き、午前〇時を超えて仕事をすることも度々ありました。この結果、月に一〇〇時間を大きく超える残業時間となり、その過労やス

トレスから一二月に亡くなりました。

このような、でたらめな求人票を大学や高校に出している企業が少なくありません。学生側が注意することももちろん必要ですが、学校関係者は、こういったブラック企業の就職あっせんを教育の場で行うことがないように努めるべきです。そして、ハローワーク（公共職業安定所）がもっとしっかりと求人票をチェックし企業を指導・監督すべきです。

## ●残業代がない！

**Q7**

会社に就職したばかりで、最初の月から七〇時間程度の残業がありましたが、驚いたことに、給与明細を見たら残業代が一銭も出ていませんでした。上司に疑問をぶつけたところ、この会社では、「固定残業制」となっており、残業手当は、毎月の定額の給与の中に含まれているので、別途支払われないとの説明を受けました。一カ月の給与は一九万円ほどで、この金額に残業代が含まれていると言われても納得できません。

**A7**

ワークルールによって、労働者が所定労働時間（たとえば、休憩時間を除き一日八時間)を超えて働いた場合には、残業手当が支給されます。八時間を超えて働く場合には、相当の割増手当(通常は、二五%増、時間帯・時間数等によって三五%以上増となります)が支払われることとなります。

したがって、月七〇時間程度も残業があれば、定額給与一九万円以外に、一〇万円を超える残業代が支給されるべきです(労働基準法三七条)。

あなたの会社で導入されている「固定残業制」というのは、毎月一定の時間(たとえば二〇時間)残業したものとみなし、その分の賃金を固定給に組み入れている制度のことです。このような制度を採用している会社であっても、その一定の時間(たとえば二〇時間)を超えて残業をすれば、別途その趣旨の残業代を当然に支払わなければなりません。

また、仮に、基本給と残業代の金額や割合が明示されていない定額払い制度は、無効となります。

さらに言いますと、仮に、月七〇時間分の残業代すべてが「固定残業代」に含まれると書かれていても、そのような規定は無効とされる可能性があります。なぜなら、そのような長時間残業を前提とするような労務管理は、労働者の健康を損なう危険が高いものだからです。また、七〇時間もの残業代と基本給を足して一九万円に過ぎないということでは、基本給があまりに少ないからです。基本給は、都道府県ごとに定められている最低賃金額を下回ってはなりません。

●少ないバイト料

Q8

高校生になってから、知り合いの紹介で初めて、売店でアルバイトを始めました。時給が六〇〇円と言われましたが、友人に聞いてみると、普通はもっと高いと言われました。いまからでも、アルバイト料をアップしてもらうことはできますか。

A8

アルバイト料(アルバイトの賃金)は、原則として、使用者と労働者との間で、話し合って決めるものですが、全く自由放任にしてしまうと、働く側に不利となって労働力が安く買いたたかれてしまう危険があります。

このため、わが国では、最低賃金法を定めて、都道府県ごとに、使用者が支払うべき最低賃金額を決めています。

二〇一八年度(二〇一八年一〇月~二〇一九年九月)の最低賃金額は、多いところ(東京都など)で時給九〇〇円台後半、少ないところ(九州など)で時給七〇〇円台後半と決められていました。最も多額なのは、東京都で九八五円、最も少額なのは、鹿児島県で七六一円となっていました。

二〇一九年一〇月以降は、東京都で一〇一三円に引き上げられ、鹿児島県は七九〇円となっています。

したがって、あなたがどこの都道府県で働いていたとしても、六〇〇円は法律に違反するので、地元の最低基準までは引き上げてもらう権利があります。この法律に違反する使用者には刑罰がかけられるほど重要な決まりです。

地元の最低賃金額がいくらなのかは、厚生労働省の出先機関である労働局や労働基準監督署に問い合わせすればわかります。インターネットでも簡単に調べることができます。

なお、都道府県で最低賃金額が異なるのは、生活経費や企業の支払能力などが地域によって異なることが理由として挙げられていますが、これに対しては反対の意見もあり、今後とも議論が必要だと思います。

## ●賃金と売り上げの関係は？

**Q9**

コンビニエンスストアでアルバイトをしています。契約したとおりの労働時間を働いたのに、店長から売り上げが少ないと言われ、バイトの賃金の一部がカットされました。業績が悪いと仕方がないのでしょうか？

また、これに私が納得できないと話をすると、店長が「お金の代わりに、店の品物をあげるから」と言って、店の食品を渡してきましたが、どうすればよいでしょうか。

**A9**

賃金の支払いには、①全額払いの原則、②現金払いの原則(会社の商品で支払うことはできません)、③直接払いの原則(未成年者でも本人に支払います)、④定期日払いの原則(毎月一回以上)が定められています。したがって、必ず賃金支払日には、理由の如何にかかわらず、会社は全額のバイト代を支払う義務があります。期限内に支払わなかった場合には、ペナルティとして利息を加えて支払わなければなりません。会社の商品など、金員以外のもので賃金を支払うことはできません。

コンビニエンスストアの中には、残った飲食物(おでんとかカップ麺……)をアルバイトに食べてもらって、それをもってバイト代に代えようとする悪質な企業もありますので、注意してください。

未成年者の場合も親がお金を受け取るのではなく、働いた本人が受け取ることがワークルールで決まっています。なかには悪い親がいて、子どもの賃金を横取りしてしまうおそれがあるからです。

会社は、バイト代を支払う日をあらかじめ決めておくことが必要です。売り上げが少ないからと言って、給料の支払いを勝手に遅らせたりすることは法律で禁じられています。

## ●ミスでバイト先に損害を与えてしまった！

**Q10**

飲食店でアルバイトをしています。ある日、料理を運んでいるとき、店内でころんで、綺麗な食器を割ってしまいました。その後、店長から、店が被《こうむ》った被害額三〇万円を賠償するように言われました。私のミスとは言え、やむを得ないのでしょうか。また、弁償するとしても、三〇万円というのは高すぎると思うのですが、店長は、アルバイトを始めるときの契約書に、そのように賠償金予定額が書いてあると言っています。

**A10**

労働基準法一六条は、「使用者は、労働契約の不履行《ふりこう》について違約金を定め、又は損害賠償額を予定する契約をしてはならない」と定めています。このように、ワークルールでは、アルバイトにせよ、正社員にせよ、労働者が労働を行うにあたって使用者と契約を結ぶときに、仕事で失敗した際の賠償額をあらかじめ決めることを禁止しています。なぜ、このような規定があるかというと、労働者と使用者では、力関係で使用者のほうが強いので、労働者側が過大な賠償金を支払う約束を強制される危険があるからです。

あなたの場合には食器を割っただけで三〇万円も賠償するのは、いかにも過大な金額ですので、そのような契約書の文言があったとしても、法律上無効ですから、安心してください。

また、そもそも、仕事中に食器を割ってしまったことについて、労働者がその損害を賠償する必要があるかどうかも議論があるところです。

たしかにミスでお店に損害を与えたのだから賠償すべきだという考えがありますが、そうであっても、裁判所の判決では、労働者は、実損害額の一部(たとえば四分の一)のみ弁償すればよい、との判断が多く、事例によっては、賠償しなくともよいケースもあります。どうしてかと言いますと、使用者は、普段から、労働者の働きによって利益を得ているのですから、損害が出たときに必ず賠償を労働者に求めるというのは、公平ではないからです。

このほか、お店のスペースが狭くて料理を運びにくいとか、足元が滑りやすいとか、職場環境に重要な問題があれば、あなたの過失(落ち度)とは必ずしも言えないので、損害を賠償する義務はありません。

## ●バイト中にケガをしてしまった……

**Q11**

コーヒー店でアルバイトをしているときに、火傷をしてしまいました。雇用主に話したのですが、「君の不注意でケガをしたのだから、治療費は自分でもつように」と言われました。ケガをしても、バイトの身分では補償されないのでしょうか。

**A11**

正社員でもアルバイトでも、仕事が原因でケガをしたり、病気になった場合、会社または国から補償を受ける権利があります。

労働基準法と労働者災害補償保険法では、労働者が仕事が原因で負傷した場合には、必ず会社や国がその補償を行うべきことが定められています。これを労災補償と呼びます。事故の原因として多少なりとも労働者の不注意(不慣れや忙しさが背景にあることが多い)が存在することはありますが、だからと言って、労災補償が否定されることはありません。アルバイトの人が、飲食店などで火傷をしたりすることはよくあることで、これを労働者個人の責任に転嫁するのは間違っています。

労災補償の内容としては、①治療費全額、②休業して賃金が払われなかった場合にはその約六割以上の休業損害補償があります。これを使用者(会社)が直接労働者に支払うか、または、国(労働基準監督署)が労災保険金として労働者に支払うことになっています。

事故以外にもたとえば、長時間労働による過労で病気になったとき、あるいは、上司から部下がひどいハラスメントを受け、その結果、部下が病気になった場合にも労災補償の適用があります。

このほか、仕事場までの通勤途上で事故に遭遇した場合にも、たとえば、駅の階段で転んでケガをした場合などにも労災保険の通勤災害補償が適用されます。

## ●雇用形態と給与の関係

**Q12**

私の姉は、雇用期間の決まっている「契約社員」として働いています。同じころに就職した正社員の人と比べてみて、同じような仕事をして、同じくらいの時間働いているのですが、毎月の賃金は少なく、ボーナスは全く出ていません。雇用形態が異なれば、仕方がないのでしょうか。

**A12**

日本では、戦後、一九八〇年代ごろまでは、正社員と言われる終身雇用の形態が大多数でしたが、一九九〇年代後半から、契約社員(有期雇用労働者)、派遣労働者、パートタイム労働者、アルバイト労働者などと呼ばれる、いわゆる非正規雇用の形態が増加して、二〇一八年時点では非正規労働者の数は二〇〇〇万人以上で、労働者の約四〇％に達しています。非正規雇用の場合には、雇用期間(たとえば五年間など)が定められていること以外にも、賃金が安く抑えられたり、福利厚生で受けられるサービスが少なく、差別的な扱いが多いのが現状です。

こうした現状を改善するために、二〇二〇年四月一日からは、同一労働同一賃金(パートタイム・有期雇用労働法)が施行されました。中小企業では、二〇二一年四月一日からとなります。この法律によって、企業は、賃金・福利厚生などの待遇面で、正規雇用と非正規雇用の間での不合理な処遇差を解消する義務を負います。

したがって、正社員(正規雇用)にだけボーナス(賞与)を支払うが、契約社員(非正規雇用)にはこれを支払わない、ということは許されません。このような考え方は、この法律が施行される前の段階から、裁判所の判決でも示されています。

同じように働く労働者に対して、雇用形態によって差別的な扱いをするのは、避けるべきことであり、今後一つひとつ具体的に改善することが大切です。

と同時に、一九九〇年代以降に正社員を少なくして非正規社員を増やしてきた日本の労働政策には疑問があり、正社員の割合をもっと増やす方向での取り組みも必要だと考えます。

## ●退職する権利

**Q13** 正社員で働いていますが、残業が多いので退職したいと上司に話したら、いま会社が忙しいから、あと三カ月働くように言われました。すぐ退職できないのでしょうか？

**A13** 労働者は、理由を問わず、いつでも退職する自由があります。会社の許可は必要ありません。使用者(会社)には解雇の自由はありませんが、労働者には退職の自由があるのです。

過労死の実例を調査すると、亡くなる前に退職したいとの意思を上司に伝えていた例がよくあります。退職届を文書にして上司に渡しましたが、それを突き返されたり、握りつぶされたりしてしまい、その結果、過重な労働を続けざるを得ず、いのちを失うことが頻繁《ひんぱん》に起きています。

法律上は、退職の意思表示をすれば、その日から二週間後には自動的に退職したものとみなされます。また、多くの労働者の場合、有給休暇が二週間程度は残っていますので、それをこの期間にあてればよいのです。つまり、退職の意思表示をしてから実際の勤務に就かなくてもよいことがほとんどです。そして、会社が許可しようとしまいと法律的には退職したと評価されます。

退職する側としては、あまり波風を立てず円満に退職したいと考えるのが普通ですので、引き止

められると、仕方がないのであとしばらく我慢しようと思いがちです。しかしながら、長時間の労働やハラスメントなどで心身の健康が損なわれている場合には、たとえあと一カ月であっても、出勤することが心理的にたいへん苦しいのです。その結果、退職する前に亡くなってしまうことが多々生じています。ですから、退職を決断した場合には、それを速やかに実行するのが大切です。

## ●売り上げと解雇

**Q14** 大学を出て正社員として就職したのですが、社長から、会社の売り上げが落ちているので解雇すると言われました。納得がいきません。

**A14** 使用者は、合理的な理由がなければ、労働者を一方的に解雇できません。単に売り上げが落ちたとの理由は、合理的なものとは言えません。解雇は、労働者の職を奪い、生活の基盤を失わせることになりますから、会社の一方的な判断で自由にできるものではありません。

労働契約法一六条では、会社が社員を解雇できるのは、客観的に合理的理由があり、それが社会通念上相当である場合に限られると定めています。したがって、そうでない場合には、会社が解雇と言ってもそれは法律上無効となります。

会社の業績というのは、上昇したり下降したりするものですから、その業績不調によっていきなり誰かが解雇を通告されるというのは、社会通念上、相当な理由とは言えません。倒産の危険が生ずるほどの経営危機の場合には、適正な手続きに基づき、労使間で慎重に相談して人員の削減を相談することになります。

また、労働者の勤務成績がよくないとの理由だけでは、社会通念上、相当な解雇理由ではありません。会社としては、その人の業務遂行を改善する目的で必要な教育や指導を繰り返すべきです。

労働者の国籍・信条・社会的身分を理由とする解雇、性別を理由とする解雇、労働組合活動をしたことを理由とする解雇などは、厳に禁じられています。表向きは成績不良を理由にしていますが、実際には労働組合員であることを嫌って解雇する会社があります。このような労働組合を嫌って行う解雇は、不当労働行為と呼び、憲法第二八条に違反する行為です。

解雇には、以上のようなものとは異なり、懲戒処分《ちょうかいしょぶん》としての解雇、すなわち、懲戒解雇と呼ばれるものがあります。たとえば、会社のお金を盗んだり、同僚を殴ってケガをさせたりなど、犯罪行為を行ってしまった場合には、懲戒解雇が有効とされることがあります。ただし、この場合の事実関係について、本人に弁明の機会を与えることが必要であり、また、過去の懲戒処分の実例と比較して重すぎないかどうかなども検討が必要です。

## ●内定とは？

**Q15**

私は、就職活動の結果、A社から内定をもらい、一〇月の内定式にも出席しました。ところが、その後、A社の人事担当者から内定者向けの研修があるから出社するように何度も言われています。このような研修に参加する義務があるのでしょうか。

また、研修に参加しないと内定を取り消すかもしれないとも言われましたが、会社が一方的に内定を取り消すことができるのでしょうか。

**A15**

採用内定は、法律的には、始期付《しきつき》解約権留保付《つき》労働契約となります。始期付とは、通常の会社では四月一日から仕事が始まるという意味で、それまでは労働義務はありません。解約権留保付とは、やむを得ない事情が発生した場合には労働契約を解約することが可能であるという意味です。

したがって、四月前には、会社の研修に参加する義務はありませんし、それに参加しないからと言って労働契約を解約することは認められません。会社が内定取消をできるのは、「客観的に合理的で社会通念上相当」な場合に限られています。

なお、もしあなたがこのような無理を言ってくる会社には就職したくないと考えた場合、あなたから内定を辞退することはできます。

## ●マタハラされたら

**Q16**

私の姉は、いま、妊娠三カ月です。子どもを産んでからも働き続けたいと思っていますが、社長から、出産するのならそれを機に退職してほしいと言われました。姉は、産前産後の休暇や育児休暇をとった後、職場に復帰したいと思っていますので、社長の発言には納得できません。

**A16**

社長の発言は、働く女性の権利を侵害するものであり、マタニティ・ハラスメント（マタハラ）として禁じられている行為です。ワークルールでは、産前六週間、産後八週間の産休制度が定められています（労働基準法六五条）。現在の法律では、この産休期間の賃金は、特別の労使の約束がないかぎり無給となりますが、実際には、健康保険により相当額の出産手当金が支給されています。

また、男性も女性も、子が最長二歳に達するまで、育児のために休むこと(育休)ができる権利が育児・介護休業法によって定められています。会社によっては、就業規則や労使間の協定によって育児休暇期間がもっと長いケースも増えています。

## ●これってセクハラでは？

**Q17**
アルバイト先で、異性の上司から頻繁に「カラオケに行こう」とか、「飲みに行こう」と言われて困っています。どうすればいいでしょうか。

**A17**
このような上司の行為は、セクシュアル・ハラスメント（セクハラ）にあたります。「セクシュアル・ハラスメント」とは、一般に「相手方の意に反する不快な性的言動」をさします。会社は、セクハラについて性別を問わず労働者からの相談に応じ、適切に対応するための体制をつくり、必要な労務管理をしなければいけないと法律で定められています。被害を受けた側は、設問のような嫌な要求は、きっぱりと断ることにしましょう。また、会社内部の相談窓口や会社外の都道府県労働局などの機関に相談することも選択肢の一つです。

また、異性の同僚から同じようなことを言われ困っている場合には、店長などの上司に話して注意してもらうことができます。セクハラは、上司から部下に対してだけでなく、同僚間、とくに先輩後輩の関係でも起こりますので、不快なことについては一つひとつ改善していきましょう。

## ●パワハラに我慢できません！

**Q18**

会社に就職してから二年目になりますが、配属された営業課の上司から仕事の成績が悪いことを批判され、最近では「給料泥棒《どろぼう》」とか「バカ」「死ね」とか罵声《ばせい》を浴びせられ、出社するのが怖く、精神的に仕事を続けられる状態ではありません。私の成績が悪いからといって、このような上司の言動が許されるのでしょうか。

**A18**

あなたの上司の言動はパワハラであり、決して許されるものではありません。営業成績が悪いからといってあなたの人格を否定するような言葉を発するのは、業務上の適切な指導の範囲を逸脱した行為であり、パワハラ防止法に定めるパワハラ行為に該当します。あなたがこのような暴言を吐かれ、出社するのも精神的に困難なほど追いつめられているのは、たいへん深刻な問題です。このまま放置すれば、あなた自身が病気になる危険があり、また、ほかにも同様の被害者が発生することが予想されます。

したがって、会社に設置されているパワハラ防止のための窓口に訴えることを勧めます。また、会社の窓口がなかったり、信用できなかったりする場合には、地元の労働基準監督署や労働局の窓口に実情を伝えて、行政側として動くように申告する方法もあります。ほかにもパワハラ問題に取り組んでいる弁護士、NGO・NPO、労働組合などに相談するのも方法の一つです。

## ●労働組合って何？

**Q19** 労働組合に入ると、どのようなメリットがあるのでしょうか？　職場に労働組合がないときは、どうすればよいのでしょうか？

**A19** 憲法第二八条は、労働三権、すなわち団結権、団体交渉権、団体行動権(ストライキ権など)を労働者の権利として定めています。団結権とは、労働者が労働組合をつくったり加入する権利のことです。団体交渉権とは、労働組合が会社に対し交渉を求める権利のことです。団体行動権とは、一般に争議行為権(仕事を行わないこと。ストライキ権)をさします。

市民は、一般にさまざまなサークルを自由につくって活動することができます。労働者も同じ職場の仲間と趣味のサークルをつくることはもちろん可能です。ここでいう労働組合に関する権利というのは、一般サークルとは違って、憲法によって特別の保護を与えられる労働組合という組織に関することです。

たとえば、職場に音楽のサークルをつくったとしましょう。この音楽のサークルが会社の経営者や管理職に話し合いをしたいと要請しても、経営者らがこれに応ずるかどうかは全くの自由です。話し合う義務はありません。しかし、職場の労働者が労働組合をつくって労働条件の問題で経営者や管理職と話し合いたい、交渉したいと申し入れた場合には、この申し入れに対して経営者らは、応じなければならない義務があります。団体交渉権、あるいは団体交渉応諾《おうだく》義務とはこのような場合をさします。経営者らは、忙しいとか、組合が嫌いだからとの理由で、団体交渉を拒否することはできません。そのような拒否行為は、憲法に違反する行為なのです。

憲法がこのように労働組合の権利を定めたのは、労働者一人ひとりがバラバラでは労働条件について会社と対等に交渉できないからです。この団体交渉によって労働者のいのちと健康を守るための措置、たとえば、残業の削減・禁止などを進めていくことができていれば、日本で過労死がこれほど発生することはなかったことでしょう。

ただ残念なことに、労働者のうち労働組合に加入しているのは、日本では二〇%未満です。また、労働組合があってもあまり活動をせず、会社に対し、健康に関する重要な問題について要求を行わない労働組合が多いのが実情です。せっかく労働者のためのサポートを憲法が行っているのですから、日本でも欧州のようにもっと労働組合の活動を活発にしていくことが過労死をなくすために大切だと考えます。なお、職場に労働組合がない場合には、職場外の個人加入制の労働組合(ユニオン)に入って、そのユニオンの人たちと一緒に会社と交渉することも可能です。

## ●相談窓口

**Q20** 職場のことで困ったときには、どこに相談すればよいのでしょうか？

**A20** 市民生活を犯罪から守るために、日本には多くの警察署があります。職場の法律違反を取り締まるのは、労働基準監督署(以下、労基署)の役目です。警察署の数よりは少ないですが、全都道府県に相当数の労基署が存在しています。労基署の上部組織が都道府県の労働局です。これらの労基署、労働局の上部組織が厚生労働省労働基準局となっています。

労基署には、地元の企業を指導・監督する担当官がおり、必要によっては警察官と同じように企業の犯罪を捜査する権限もあります。労基署は、匿名《とくめい》での相談も受け付けるようになっていますので、労働者のほうからもっと労基署を活用したほうがよいと思います。また、日本では労基署の担当官の人数が欧州に比べて少ないのが現状なので、企業に対する監督をしっかりと行うことができるように、人員を増やすことが必要です。

労基署のほかに、労働組合、民間団体、弁護士などの専門家団体が相談窓口を開いています。過労死や健康問題については、一九八八年から「過労死一一〇番」という相談窓口が設立されています(https://karoshi.jp/)。

# 参考文献

本書とあわせて、次の本も参考にして学習してください。


- 高橋幸美・川人博『過労死ゼロの社会を――高橋まつりさんはなぜ亡くなったのか』(連合出版、二〇一七年刊)

　入社一年目に亡くなった高橋まつりさんの生涯を綴った本。小学・中学・高校・大学を通じて明朗で活発な彼女が、入社一年目になぜいのちを奪われたのかを、母親と弁護士がまとめた。高橋まつりさんの写真も多く掲載されています。中学・高校・大学生向き。

- 川人博『過労自殺　第二版』(岩波新書、二〇一四年刊)

　過労・ストレスが原因で自殺に至る数多くの実例を示したうえで、その背景・原因を分析して、解決策を示しています。一九九八年に発刊された『過労自殺』をほぼ全面的に改定した内容となっています。中学・高校・大学生向き。

- 宮里邦雄・川人博・井上幸夫『就活前に読む――会社の現実とワークルール』(旬報社、二〇

一一年刊)
就職活動前にぜひ知ってほしい会社の現実を、実際の裁判例・労災認定例にそって明らかにし、あわせてワークルールの説明をしています。就職先として人気のある著名企業二一社の実情を示しています。高校・大学生向き。

- 佐々木亮・大久保修一、重松延寿まんが『まんがでゼロからわかる　ブラック企業とのたたかい方』(旬報社、二〇一八年刊)

ブラック企業から労働者を守るためにたたかっている弁護士と、著名なまんが家が組んで、つくったまんが作品。まんがと言っても、ワークルールの知識を正確に表現しており、読みやすく役にたちます。中学・高校・大学生向き。

- 笹山尚人『労働法はぼくらの味方!』(岩波ジュニア新書、二〇〇九年刊)

多くの若者の労働相談にのってきた弁護士が、労働現場で出会うさまざまな疑問と問題点について、丁寧に説明解説しています。中学・高校・大学生向き。

**川人 博**
1949年大阪府泉佐野市生まれ．東京大学経済学部卒業．78年弁護士登録．88年から「過労死110番」の活動に参加し，現在，過労死弁護団全国連絡会議幹事長．著書に『過労死社会と日本』(花伝社)，『過労死と企業の責任』(現代教養文庫)，『過労自殺 第二版』(岩波新書)など多数．東京大学教養学部で大人気の「法と社会と人権」自主ゼミナールの講師を務めるほか，高校への出前授業も行っている．

過労死しない働き方
—働くリアルを考える　　岩波ジュニア新書924

2020年9月18日　第1刷発行

著　者　川《かわ》人《ひと》　博《ひろし》

発行者　岡本　厚

発行所　株式会社　岩波書店
〒101-8002 東京都千代田区一ツ橋2-5-5
案内 03-5210-4000　営業部 03-5210-4111
ジュニア新書編集部 03-5210-4065
https://www.iwanami.co.jp/

印刷・精興社　製本・中永製本


ISBN 978-4-00-500924-4　　Printed in Japan
JASRAC 出 2006306-001

# 岩波ジュニア新書の発足に際して

きみたち若い世代は人生の出発点に立っています。きみたちの未来は大きな可能性に満ち、陽春の日のようにひかり輝いています。勉学に体力づくりに、明るくはつらつとした日々を送っていることでしょう。

しかしながら、現代の社会は、また、さまざまな矛盾をはらんでいます。営々として築かれた人類の歴史のなかで、幾千億の先達《せんだつ》たちの英知と努力によって、未知が究明され、人類の進歩がもたらされ、大きく文化として蓄積されてきました。にもかかわらず現代は、核戦争による人類絶滅の危機、貧富の差をはじめとするさまざまな人間的不平等、社会と科学の発展が一方においてもたらした環境の破壊、エネルギーや食糧問題の不安等々、来るべき二十一世紀を前にして、解決を迫られているたくさんの大きな課題がひしめいています。現実の世界はきわめて厳しく、人類の平和と発展のためには、きみたちの新しい英知と真摯《しんし》な努力が切実に必要とされています。

きみたちの前途には、こうした人類の明日の運命が託されています。ですから、たとえば現在の学校で生じているささいな「学力」の差、あるいは家庭環境などによる条件の違いにとらわれて、自分の将来を見限ったりはしないでほしいと思います。個々人の能力とか才能は、いつどこで開花するか計り知れないものがありますし、努力と鍛練の積み重ねの上にこそ切り開かれるものですから、簡単に可能性を放棄したり、容易に「現実」と妥協したりすることのないようにと願っています。

わたしたちは、これから人生を歩むきみたちが、生きることのほんとうの意味を問い、大きく明日をひらくことを心から期待して、ここに新たに岩波ジュニア新書を創刊します。現実に立ち向かうために必要とする知性、豊かな感性と想像力を、きみたちが自らのなかに育てるのに役立ててもらえるよう、すぐれた執筆者による適切な話題を、豊富な写真や挿絵とともに書き下ろしで提供します。若い世代の良き話し相手として、このシリーズを注目してください。わたしたちもまた、きみたちの明日に刮目《かつもく》しています。（一九七九年六月）

900 男子が10代のうちに考えておきたいこと
田中俊之
男らしさって何？ 性別でなぜ期待される生き方や役割が違うの？ 悩む10代に男性学の視点から新しい生き方をアドバイス。

901 カガク力《りょく》を強くする！
元村有希子
疑い、調べ、考え、判断する力＝カガク力！科学・技術の進歩が著しい現代だからこそ、一人一人が身に着ける必要性と意味を説く。

902 世界の神話
沖田瑞穂
個性豊かな神々が今も私たちを魅了する聖なる物語・神話。世界各地に伝わる神話のエッセンスを凝縮した宝石箱のような一冊。

903 「ハッピーな部活」のつくり方
中澤篤史
内田　良
長時間練習、勝利至上主義など、実際の活動から問題点をあぶり出し、今後に続くあり方を提案。「部活の参考書」となる一冊。

904 ストライカーを科学する
―サッカーは南米に学べ！
松原良香
南米サッカーに精通した著者が、現役南米代表などへの取材をもとに分析。決定力不足を克服し世界で勝つための道を提言。

905 15歳、まだ道の途中
高原史朗
「悩み」も「笑い」もてんこ盛り。そんな中学三年の一年間を、15歳たちの目を通して瑞々しく描いたジュニア新書初の物語。

906 レギュラーになれないきみへ　元永知宏

スター選手の陰にいる「補欠」選手たち。果たして彼らの思いとは？　控え選手たちの姿を通して「補欠の力」を探ります。

907 俳句を楽しむ　佐藤郁良

句の鑑賞方法から句会の進め方まで、季語や文法の説明を挟み、ていねいに解説。句作の楽しさ・味わい方を伝える一冊。

908 発達障害　思春期からのライフスキル　平岩幹男

「今のうまくいかない状況」をどうすれば「何とかなる状況」に変えられるのか。専門家がそのトレーニング法をアドバイス。

909 ものがたり日本音楽史　徳丸吉彦

縄文の素朴な楽器から、雅楽・能楽・歌舞伎・文楽、現代邦楽…日本音楽と日本史の流れがわかる、コンパクトで濃厚な一冊！

910 ボランティアをやりたい！—高校生ボランティア・アワードに集まれ　風に立つライオン基金　さだまさし編

「誰かの役に立ちたい！」各地でボランティアを行っている高校生たちのアイディアに満ちた力強い活動を紹介します。

911 オリンピック・パラリンピックを学ぶ　後藤光将編著

オリンピックが「平和の祭典」と言われるのはなぜ？　オリンピック・パラリンピックの基礎知識。